Стефани Майер

Стефани Майер

до рассвета

Недолгая вторая жизнь Бри Таннер

ИЗДАТЕЛЬСТВО
Астрель
МОСКВА

УДК 821.111(73)-312.9
ББК 84(7Сое)-44
М14

Stephenie Meyer

The Short Second Life of Bree Tanner

Перевод с английского *М. Десятовой, Е. Костиной*

Печатается с разрешения издательства
Little, Brown and Company, New York, New York, USA
и литературного агентства *Andrew Nurnberg*

Майер, С.

М14   До рассвета. Недолгая вторая жизнь Бри Таннер /
Стефани Майер; пер. с англ. М. Десятовой, Е. Костиной. — М.: АСТ: Астрель, 2010. — 216, [8] с.

ISBN 978-5-17-068736-7 (ООО «Издательство АСТ»)
ISBN 978-5-271-30738-6 (ООО «Издательство Астрель»)

Бри Таннер. Одна из новорожденных вампиров мятежницы Виктории, мечтающей уничтожить клан Калленов. Что привело ее в кровавое бессмертие — ненависть или любовь? Что заставило примкнуть к Виктории и ее приспешникам — жажда крови или желание выжить? Миллионы фанатов саги «Сумерки» задавали эти вопросы Стефани Майер — и она решила на них ответить...

Перед вами потрясающая история, финал которой — лишь эпизод из саги «Сумерки». И эта история заставит по-новому увидеть многих ее героев и многие ее события...

УДК 821.111(73)-312.9
ББК 84(7Сое)-44

Подписано в печать с готовых диапозитивов заказчика 03.09.2010.
Формат 84×108 $^1/_{32}$. Бумага газетная. Печать высокая с ФПФ.
Усл. печ. л. 11,76. Тираж 100 000 экз. Заказ 1379.

ISBN 978-985-16-9028-8
(ООО «Харвест»)

Посвящается Асе Мучник и Меган Хиббетт

Предисловие

Разные писатели всегда по-разному напишут об одном и том же. Нас всех вдохновляют и увлекают разные вещи; почему-то одни персонажи остаются с нами надолго, другие же исчезают в залежах позабытых черновиков. Лично я никогда не знаю, отчего иные из моих героев уверенно обретают собственную жизнь, но всегда рада, когда подобное случается. Истории этих персонажей писать бывает особенно легко, и, соответственно, именно они обычно доводятся до конца.

Бри — одна из таких персонажей, главным образом благодаря ей эта история теперь попала к вам в руки, а не затерялась среди позабытых папок в глубинах моего компьютера. (Впрочем, немалая заслуга в этом Диего и Фреда). Я начала размышлять о Бри, пока редактировала «Затмение». Редактировала, а не писала... во время написания первого черновика «Затмения» у меня на глазах были «шоры», ведь я видела ситуацию от первого лица; то, что Белла не могла увидеть или услышать, или почувствовать, или попробовать, или потрогать, было несущественно. Та история была только о ее собственных переживаниях.

При редактировании нужно было отступиться от Беллы и посмотреть, как развивается сюжет. Моя редактор, Ребекка Дейвис, сыграла огромную роль в этом процессе и задавала мне кучу вопросов по поводу того, чего Белла не знала, а также того, как можно было бы прояснить некоторые существенные моменты. Бри — единственная из всех новорожденных, которую увидела Ева; именно на место Бри меня и потянуло, едва я принялась раздумывать о том, что же происходило за сценой. Я начала размышлять о жизни в подвале с остальными новорожденными и об охоте традиционным для новорожденных способом. Воображала мир глазами Бри. Это было совсем не сложно. Персонаж Бри с самого начала вырисовывался очень ясно, и некоторые ее друзья оживали так же легко. У меня так часто бывает: я пытаюсь записывать краткое содержание событий из какой-нибудь другой части истории, а в итоге принимаюсь набрасывать диалоги. В данном случае краткий пересказ превратился в описание одного дня из жизни Бри.

Когда я писала сюжетную линию Бри, я впервые стала излагать от лица «настоящего» вампира — охотника, чудовища. Мне довелось взглянуть ее красными глазами на нас, людей; мы вдруг сделались такими жалкими и слабыми — легкая добыча, не имеющая никакого значения, разве что только в качестве аппетитной закуски. Я почувствовала, каково это — одиночество среди врагов, постоянная настороженность, всегдашняя неуверенность во всем, кроме того, что жизнь твоя все время в опасности. Мне пришлось погрузиться в существование совершенно иной породы вампиров — новорожденных. Я ведь еще и не начинала обдумывать жизнь после обращения... даже после того, как Белла наконец-то сделалась вампиром. Белла никогда и не была такой новорожденной, как Бри. Жизнь новорожденной оказалась захватывающей, темной и, в итоге, трагичной. Чем ближе к неизбежному концу, тем сильнее я жалела, что не закончила «Затмение» чуть-чуть иначе.

Интересно, как вы отнесетесь к Бри? Совершенно проходной, казалось бы, незначительный персонаж в «Затмении». С точки зрения Беллы, жизнь ее длится какие-то пять минут. И все же история Бри очень важна для понимания всего романа. Читая ту сцену в «Затмении», когда Белла смотрит на Бри, разглядывает ее, как собственное возможное будущее, вы хоть раз задумались, что же произошло с Бри в прошлом? Пока Бри в ужасе озиралась вокруг, гадали ли вы, какими ей кажутся Белла и Каллены? Нет, наверное. Но если да, — держу пари, вы так и не разгадали ее секретов.

Надеюсь, в конце концов вы привяжетесь к Бри так же сильно, как и я, хотя это, в общем-то, и жестоко с моей стороны. Вам уже известно: для нее все закончится плохо. Но теперь хотя бы вы узнаете ее историю с самого начала. И поймете, что несущественных точек зрения не бывает.

Приятного чтения.
Стефани

Газетный стенд пестрел кричащими заголовками: «СИЭТЛ В ОСАДЕ — НОВЫЕ ЖЕРТВЫ». Этого я еще не видела. Должно быть, разносчик только что заправил новый выпуск в автомат. Ему повезло, что сам успел куда-то вовремя убраться.

Зашибись. Райли взорвется в момент. Хорошо бы не попасться ему под руку, когда он увидит газету. Пусть другим конечности отрывает.

Я стояла в тени у ветхого трехэтажного здания, пытаясь не привлекать к себе внимания, пока кто-нибудь наконец не решит, что нам делать. Уставилась в стену прямо перед собой, чтобы не встречаться ни с кем взглядом. На первом этаже располагался давно закрытый музыкальный магазин; оконные проемы заколочены досками, стекол не было — то ли пострадали от непогоды, то ли от уличных драк. Выше располагались квартиры... очевидно, пустые, потому что обычных звуков спящих людей оттуда слышно не было. Не удивительно — эта развалюха, кажется, от малейшего ветерка рухнет. Здания на той стороне темной узкой улицы выглядели такими же ветхими.

Обычная ночка в городе.

Пора бы уже что-то решить... Так пить хочется, что все равно куда — направо, налево... да хоть по крышам! Только бы найти каких-нибудь бедолаг, которые понять ничего не успеют.

К несчастью, сегодня Райли отправил меня с двумя самыми никчемными вампирами в мире. Райли как будто никогда не задумывался, кого посылать на охоту. Да и не особо парился, если неправильно подобранные группы возвращались домой не в полном составе. В этот вечер меня угораздило влипнуть с Кевином и еще каким-то белобрысым парнишкой, не знаю, как его звали. Оба из банды Рауля, а значит, по умолчанию тупые. И опасные.

Вместо того чтобы выбрать, в какой стороне охотиться, они вдруг принялись препираться насчет того, чей любимый супергерой был

НЕДОЛГАЯ ВТОРАЯ ЖИЗНЬ БРИ ТАННЕР

бы лучшим вампиром. Белобрысый без имени пропихивал Человека-паука и в доказательство своей правоты карабкался по кирпичной стене дома, напевая мотивчик из мультика.

Я раздраженно фыркнула. Мы сегодня вообще охотиться будем?

Слева что-то шевельнулось. Диего, еще один посланец Райли, участник сегодняшней охотничьей группы. Я знала о нем только то, что он старше большинства из нас. По слухам, правая рука Райли. Ничуть не лучше остальных придурков.

Диего посмотрел на меня: услышал, как я фыркнула? Я отвернулась.

Не высовывайся, держи рот на замке — иначе в логове у Райли не выжить.

— Твой Человек-паук — нытик! — выкрикнул Кевин в сторону белобрысого. — Вот я тебе покажу, как охотится настоящий супергерой!

Он широко осклабился. Зубы сверкнули в луче фонаря.

Кевин выскочил на дорогу; как раз в этот миг растрескавшийся асфальт озарили бело-голубые фары приближающегося автомобиля. Кевин раскинул руки в стороны медленно свел перед собой, красуясь, точно профессиональный боксер. Машина приближалась; водитель, очевидно, рассчитывал, что этот придурок уберется с дороги, как поступил бы любой нормальный человек. Как нормальный человек и должен поступать.

— Я Халк! — завопил Кевин. — Круши!

Он бросился вперед, схватил автомобиль за бампер и швырнул через голову с такой силой, что машина рухнула на асфальт кверху днищем; металл со скрипом смялся, брызнуло стекло. Женщина внутри машины завизжала.

— Вот ведь... — покачал головой Диего. Симпатичный: густые темные кудри, большие глаза, и губы такие пухлые... а с другой стороны, кто из нас не симпатичный? Даже Кевин и другие идиоты-прихлебатели Рауля — все симпатичные. — Кевин, ты давай потише. Райли велел...

— Райли велел!.. — визгливо передразнил Кевин. — Отстань, Диего, Райли тут нет!

Он вскочил на перевернутую «хонду», выбил чудом уцелевшее боковое стекло и полез сквозь осколки и надувшуюся от удара подушку безопасности за водителем.

Я отвернулась, изо всех сил пытаясь сохранить способность думать.

Не могла смотреть, как Кевин кормится. Моя собственная жажда была слишком сильна, а драку с ним затевать ужасно не хотелось. Ни к чему мне попадаться на глаза Раулю.

Белобрысого такие соображения не заботили. Он оттолкнулся от стены и легко приземлился рядом со мной. Они с Кевином рыкнули друг на друга, затем послышался хлюпающий, влажный звук, и женский визг оборвался. Надвое они ее, что ли, разорвали?

Я спиной чувствовала тепло, слышала, как что-то капает, и, хоть и не дышала, горло у меня жгло, как огнем.

— Я ухожу, — прошептал Диего.

Он нырнул в щель между темными зданиями, и я поспешила за ним. Скорей, а то поцапаюсь с бандитами Рауля из-за тела, в котором уже все равно крови почти не осталось.

Ух, как горло жжет!.. Я стиснула зубы, чтобы не закричать от боли.

Диего несся по заплеванному переулку, и когда дорога кончилась тупиком, бросился вверх по стене. Я вонзила пальцы в щели меж кирпичей и полезла вслед за ним.

Вот и крыша; Диего легко перескочил на соседнюю и устремился дальше, к мерцающим над проливом огонькам. Я не отставала. Я моложе его, а значит, сильнее, — хорошо, что мы, молодые, самые сильные, а то бы и первую неделю не выжили в доме у Райли. Я легко могла обогнать Диего, но было любопытно посмотреть, куда он направляется, к тому же не хотелось оставлять его у себя за спиной.

Диего мчался несколько миль без остановки. Слышно было, как он бормочет себе под нос:

— Придурки! Как будто Райли без причины раздает команды. Для самосохранения хотя бы... каплю здравого смысла! Неужели я слишком много хочу?

— Эй! — окликнула я. — Мы будем охотиться? У меня горло жжет!

Диего спрыгнул на широкую фабричную крышу и обернулся. Я отпрянула, готовая защищаться, однако он не нападал.

— Ну да, — сказал он. — Просто хотел убраться от тех двух чокнутых.

И приветливо улыбнулся.

Этот парень, Диего, не такой, как остальные. Как бы сказать... спокойный, что ли. Нормальный. Не сейчас нормальный, а прежде. Глаза у него темнее, чем у меня, более густо-красные. Видимо, уже давно вампир, как и говорят.

Из трущоб Сиэтла доносились ночные звуки. Где-то играла музыка, низко гремели басы; какая-то парочка нервно и торопливо семенила прочь; издалека долетало пьяное пение не в лад.

— Тебя зовут Бри, так? — спросил Диего. — Ты новенькая?

Мне это не понравилось. Новенькая.

— Ага, Бри. Но я не из последней группы. Мне почти три месяца.

— Ловко справляешься для трех месяцев, — заметил он. — Мало кто смог бы вот так спокойно оставить место аварии.

— Не хотела связываться с обезьянами Рауля.

— Аминь, сестра. От этих ничего хорошего не дождешься.

Странный этот Диего. Говорит — как будто просто так болтает, с приятелем из прежней жизни. Ни враждебности, ни подозрительности. Словно и не думает, легко ли удастся прикончить меня прямо здесь.

— Сколько ты уже у Райли? — с любопытством спросила я.

— Одиннадцатый месяц пошел.

— Ого! Дольше Рауля!

Диего закатил глаза и сплюнул с крыши ядом.

— Ну да, помню я, как Райли этот мусор притащил. С тех пор все хуже и хуже.

Я помолчала; гадала, считает ли он мусором всех, кто младше. Хотя мне-то что. Мне сейчас вообще все равно, кто что думает. Больше незачем об этом волноваться. Как сказал Райли, я теперь богиня. Сильнее, быстрее, лучше. Остальные не в счет.

Диего тихо присвистнул.

— Вот они! Всего-то немного потерпеть. — Он указал вниз, через дорогу.

Там, в лиловой черноте теней за углом, какой-то мужик матерился и лупил молодую женщину. Судя по одежде, сутенер с двумя ночными труженицами.

Именно так и наставлял нас Райли. Нападайте на отбросы. Выбирайте людей, о которых никто не беспокоится, тех, кто не спешит домой, к семье, тех, кого не станут искать.

Он и нас так же выбирал. Еда и новые боги — все мы из одной канавы.

В отличие от некоторых других, я все еще слушалась Райли. Не потому, что он мне нравился. То чувство давно испарилось. Нет, просто его наставления звучали убедительно. Какой смысл привлекать к себе внимание, рекламировать банду новообращенных вампиров, превративших Сиэтл в столовую?

Я ведь даже не верила в вампиров, пока сама не стала одной из них. Поскольку люди не верят в вампиров, надо полагать, что остальные вампиры охотятся аккуратно, так, как велит нам Райли.

Диего прав, для аккуратной охоты требуется лишь немного потерпеть.

Конечно, все мы часто ошибались. Райли после чтения газет орал на нас и ломал вещи — как тогда, когда разбил любимую видеоприставку Рауля. В отместку Рауль тоже сходил с ума — хватал кого-нибудь и жег в сторонке. Тогда Райли вообще бесился, всех обыскивал, отбирал зажигалки и спички. И так по кругу, а потом Райли притаскивал в дом очередную партию новообращенных из человеческого отребья вампиров, на замену сдохшим. Замкнутый круг.

Диего потянул носом, сильно, глубоко вдохнул, напрягся всем телом, приник к крыше. Его необъяснимое дружелюбие растаяло, он превратился в охотника.

Это было мне знакомо и не страшно, потому что понятно.

Я отключила мозги. Время охоты! Глубоко вдохнула, втянув запах человечьей крови. Вокруг ощущались и другие люди, но эти трое внизу — ближе всех. На кого охотиться — нужно решать до того, как почувствуешь носом добычу.

Диего перегнулся с крыши и пропал из виду. Приземлился так тихо, что никто не услышал — ни всхлипывающая проститутка, ни ее товарка в отключке, ни разбушевавшийся сутенер.

У меня сквозь зубы вырвался низкий рык. Мое! Кровь — мне! Горло жгло огнем, больше ни о чем не думалось.

Я спрыгнула с крыши, перевернулась в воздухе и встала на ноги рядом с плачущей блондинкой. Диего ощущался очень близко, и я на всякий случай предостерегающе зарычала, схватила удивленную девушку за волосы и швырнула к стене.

Потом я вовсе забыла о Диего; под кожей у девушки парило жаром, вена пульсировала так близко к поверхности...

Она разинула рот, хотела было закричать, но не успела — мои зубы разорвали трахею. Только воздух шипел в ее легких вместе с кровью, да я чуть поскуливала, не в силах сдержаться.

Теплая, сладкая кровь притушила пожар в горле, успокоила неприятную пустоту в желудке. Я сосала и глотала, едва замечая что-либо вокруг.

Диего издавал такие же звуки, склонившись над мужчиной. Вторая девушка валялась без сознания на асфальте. Никто не успел закричать. Молодец Диего.

Одно в людях плохо: крови маловато. Девушку я осушила буквально в секунды и с раздражением встряхнула вялое тело. Горло снова начинало саднить.

Я отшвырнула выпитый труп и прижалась к стене. Интересно, успею схватить вторую девчонку, ту, что без сознания?

Диего уже закончил с мужиком. Посмотрел на меня с выражением... сочувствия? Или я ошибаюсь? Не припомню, чтобы мне когда-нибудь сочувствовали, могу и не угадать, если что.

— Бери, — кивнул он на безжизненное тело второй девушки.

— Шутишь?

— Не-а. Мне пока хватит. Позже еще поохотимся.

Я прыгнула вперед, схватила девушку, поглядывая на Диего и ожидая подвоха. Он не попытался меня остановить. Вообще отвернулся, уставился в черное небо.

Я вонзила зубы в девичью шею, по-прежнему озираясь. Девушка оказалась даже лучше предыдущей! Кровь совершенно чистая. Не то что кислое послевкусие от блондинки — из-за наркотиков, к которым я давно привыкла. Я редко пробовала чистую кровь — соблюдала правило насчет человечьих отбросов! Диего, кажется, тоже следовал правилам. Он наверняка почуял, от чего отказывается.

Почему он так поступил?

Второе тело обескровлено; горлу полегчало. В организм поступило много крови; наверное, несколько ближайших дней жечь не будет.

Когда я отпустила тело и труп шлепнулся на асфальт, Диего обернулся ко мне с улыбкой.

— Э... спасибо, — пробормотала я.

Он кивнул.

— Тебе было нужно. Я помню, как тяжко в самом начале.

— А потом легче становится?

Он пожал плечами.

— В каком-то смысле... Утопим тела в заливе?

Я нагнулась, обхватила труп блондинки и взвалила на плечо. Хотела было поднять и второе, но Диего успел прежде меня, хотя уже и так тащил сутенера.

Я запрыгнула вслед за ним на стену, и мы вместе помчались над автострадой. Свет фар сюда не доставал. Какие же люди глупые, рассеянные, и как же хорошо, что я — не одна из них, невежественных...

Укрытые темнотой, мы добрались до пустого дока, закрытого на ночь. Диего даже не замедлил шаг у края крыши — попросту спрыгнул вниз и скрылся под водой вместе со своей грузной ношей. Я скользнула следом.

Он плыл стремительно и плавно, как акула, уходя все дальше и глубже в черные воды залива. Потом резко остановился, когда нашел, что искал — огромный, покрытый слизью валун на дне, облепленный морскими звездами и всякой дрянью. Глубина здесь была, пожалуй, больше сотни футов — и для человека показалось бы темно, как в колодце. Диего выпустил тела, и они неторопливо закачались в толще воды, а сам принялся шарить руками в илистом песке у подножия валуна. Наконец нашел, за что ухватиться, и рывком приподнял булыжник из углубления, причем от усилия сам ушел по пояс в темный песок.

Он повернулся ко мне и кивнул.

Я подплыла к нему, по пути одной рукой прихватив колышущиеся тела. Запихнула блондинку в черную яму под валуном, следом вторую девицу и сутенера. Легонько пнула — хотела проверить, что они не выскользнут — и отодвинулась в сторону. Диего опустил камень, покачнувшийся на неровном основании из трупов, поднялся к верхушке и надавил сверху вниз, расплющив все, что мешало булыжнику встать ровно.

Отплыл на несколько ярдов назад и взглянул на дело рук своих.

«Идеально», — прошептала я одними губами. Эти три трупа не всплывут никогда, в новостях о них не сообщат.

Он ухмыльнулся и поднял руку.

Я не сразу поняла, что ему нужно. «Дай пять»? Я нерешительно подплыла, коснулась его ладони и резко отпрянула.

У Диего на лице мелькнуло странное выражение; потом он пулей помчался к поверхности.

Я ничего не понимала, но последовала за ним. Когда я вынырнула, мой спутник буквально заходился хохотом.

— Что?

Он даже не мог говорить. Наконец выдавил сквозь смех:

— Кто тебя учил так пять давать?

Я раздраженно фыркнула.

— Я же не знала, вдруг бы ты мне руку оторвал или еще что-нибудь...

Диего хмыкнул.

— Я бы не стал.

— Другие стали бы, — возразила я.

— Это точно, — без улыбки согласился он. — Хочешь, еще поохотимся?

— Спрашиваешь!

Мы вылезли из воды под мостом и тут же наткнулись на двух бомжей. Бродяги спали в изодранных вонючих спальниках, устроившись на общей подстилке из старых газет. Кровь у них закисла от алкоголя; но все равно, лучше такая, чем ничего.

Их мы тоже погребли на дне пролива, под другим булыжником.

— Ну, я на несколько недель наелся, — сообщил Диего, когда мы вышли из воды в безлюдном месте. С нас капало.

Я вздохнула.

— Через пару дней все опять начнет гореть. И тогда Райли, наверное, снова отправит меня с мутантами Рауля.

— Могу пойти с тобой, если хочешь. Райли обычно позволяет мне поступать по-своему.

Я задумалась над этим предложением, но сразу отбросила сомнения. Диего и правда не похож на других. С ним я чувствовала себя иначе. Как будто спину прикрывать было почти не обязательно.

— Хорошо бы, — промолвила я.

Прозвучало странно. Будто в слабости призналась.

Но Диего ответил:

— Клево.

И улыбнулся.

— А чего это Райли держит тебя на таком длинном поводке? — спросила я. Интересно, какие у них отношения? Чем больше времени я проводила вместе с Диего, тем меньше понимала, как они с Райли могли сойтись. Диего такой... дружелюбный. Совершенно не похож на Райли. Может, это из серии «противоположности притягиваются»?

— Райли знает, что может мне доверять, что я не наслежу... Кстати, ты не против мне слегка помочь?

Что-то в этом странном юноше меня привлекало. Вызывало любопытство. Хотелось посмотреть, что он сделает.

И я ответила:

— Конечно.

Он направился прочь из дока, вышел на дорогу и побежал вдоль воды. Я двигалась следом. Один раз почувствовала человечий запах, но слишком далеко, да и бежали мы так быстро, что людям нас не увидеть.

Диего снова решил перемещаться по крышам. Через несколько прыжков я распознала оба наших запаха: мы шли прежней дорогой.

И вскоре вернулись на ту, первую улицу, где два придурка вздумали забавляться с машиной.

— Невероятно! — рыкнул Диего.

Кевин и второй у́же свалили. Поверх первой машины громоздились еще две, рядом — несколько трупов прохожих. Копов пока не было — им никто не сообщал о бойне, потому что все умерли.

— Поможешь? — попросил Диего.

— Ладно.

Мы спрыгнули вниз, и Диего быстро поставил машины так, чтобы было похоже на столкновение, а не на то, что их разбросали обезумевшие от ярости гиганты. Я подняла с асфальта два обескровленных тела и запихнула под обломки автомобилей.

— Ужасная авария, — заметила я.

Диего осклабился. Потом достал из водонепроницаемого пакета зажигалку и принялся поджигать одежду пострадавших. Я нащупала в кармане собственную зажигалку (Райли выдавал их нам перед охотой; Кевину следовало бы воспользоваться своей) и подожгла обивку салонов. Тела, покрытые воспламеняемым ядом, стремительно вспыхнули.

— Отойди, — предостерег Диего, открутив заглушку бензобака.

Я отскочила к ближайшей стене, взобралась на второй этаж и стала наблюдать. Диего отступил на несколько шагов и чиркнул спичкой. Аккуратно прицелился, ловко зашвырнул ее в небольшое отверстие и в ту же секунду отпрыгнул ко мне.

Взрыв сотряс улицу. В доме за углом стали зажигаться окна.

— Молодец, — похвалила я.

— Спасибо, что помогла. Возвращаемся к Райли?

Я нахмурилась. Меньше всего на свете мне хотелось провести остаток ночи в доме Райли, видеть его тупую морду, слушать бесконечные вопли, наблюдать драки и прятаться за Стремным Фредом, чтобы никто не лез... И книжки у меня закончились...

— Мы не торопимся, — произнес Диего, догадавшись обо всем по моему лицу. — Не обязательно возвращаться прямо сейчас.

— Чтива бы раздобыть...

— А мне как раз нужны новые диски! — Он улыбнулся. — Идем по магазинам!

Мы быстро двигались над городом — снова по крышам, а если здания стояли слишком далеко друг от друга, то спрыгивали в тень, —

пока не попали в более симпатичный район. Вскоре нашелся и торговый центр, а в нем — один из крупных сетевых книжных. Я сорвала замок с люка на крыше, и мы спустились внутрь. В магазине было пусто, сигнализацией оборудованы лишь окна и двери. Я сразу пошла к полкам на букву «Х», а Диего поспешил в музыкальный отдел. Я как раз только что дочитала Хейли, поэтому взяла с полки еще дюжину книг, следующих по порядку; на несколько дней хватит.

Диего сидел за столиком в кафетерии и разглядывал обложки новых дисков. Я помедлила, затем присоединилась к нему.

Это было знакомо из прежнего существования и потому тревожно... Я частенько так сиживала за столиком вместе с каким-нибудь приятелем — беспечно болтала или размышляла о чем-нибудь... только не о жизни и смерти, не о жажде крови.

В последний раз я сидела за столиком вместе с Райли. Та ночь мне плохо запомнилась — по разным причинам.

— А что это тебя в доме никогда не видно? — вдруг спросил Диего. — Где ты прячешься?

Я криво усмехнулась.

— Обычно за спиной у Стремного Фреда.

Он поморщился.

— Правда, что ли? Как ты его терпишь?

— Привыкла. За спиной не так уж плохо, как перед ним. Во всяком случае, лучшего укрытия я не нашла. Никто к Фреду и близко не подходит.

Диего кивнул, хотя с таким видом, словно его тошнило.

— Это точно. Тоже способ выжить.

Я пожала плечами.

— А ты знаешь, что Фред — один из любимчиков Райли? — поинтересовался Диего.

— Правда? Как это?

Никто не выносил Стремного Фреда. Ужиться с ним пыталась лишь я, и то исключительно в целях самосохранения.

Диего заговорщически подался вперед. Я уже так привыкла к его странностям, что и не вздрогнула.

— Я слышал, как он с *ней* по телефону говорил!

Меня передернуло.

— Ну да. — В голосе Диего опять послышалось сочувствие. Впрочем, ничего удивительно, что мы способны друг другу сочувствовать,

когда речь заходит о *ней*. — Несколько месяцев назад... В общем, Райли говорил про Фреда, дико радовался. Очевидно, некоторые вампиры кое-что умеют. В смысле, больше, чем
обычные вампиры... А *ей* как раз такие и нужны. Вампиры-экстрас-с-сенсы.

Диего так тянул это «ссс», что я буквально
увидела слово, точно на бумаге.

— Какие еще экстрасенсы?

— Со всякими способностями, судя по раз-
говору. Чтение мыслей, выслеживание, даже
умение видеть будущее.

— Брось!..

— Серьезно. По-моему, Фред может как бы
отталкивать людей. Усилием мысли. Он мысленно вызывает у нас тошноту при попытке
приблизиться.

Я нахмурилась.

— И какая ему от того польза?

— Помогает выживать, ведь так? И тебе,
кстати, тоже.

Я кивнула.

— Пожалуй. А еще о ком-нибудь Райли говорил?

Я попыталась припомнить, что необычного
чувствовала или видела... Нет, похоже, Фред

такой один. Те клоуны, которые нынче вечером изображали из себя супергероев, не способны ни на что уникальное.

— Про Рауля говорил...

— Какие такие у Рауля способности? Супертупость?

Диего фыркнул.

— Определенно! Но Райли думает, он обладает неким магнетизмом — притягивает к себе людей, ведет за собой.

— Только умственно отсталых.

— Ага, Райли так и сказал. Вроде как не действует на... — Он похоже изобразил голос Райли. — ...более «ручных» ребят.

— «Ручных»?

— Думаю, он имел в виду людей вроде нас с тобой, тех, кто иногда способен подумать.

Я «ручная»?! Ужасная формулировка! Диего выразился намного удачнее.

— Похоже, Райли нужно, чтобы Рауль был лидером... По-моему, что-то затевается.

От этих слов меня пробрала дрожь.

— Что?

— Ты никогда не думала, зачем Райли требует, чтобы мы держались тихо?

Я поколебалась долю секунды, прежде чем отвечать. Странно, что ближайший помощник Райли, его правая рука, задает подобные вопросы... Как будто ставит под сомнение приказы командира. Разве что выспрашивает все это по заданию самого Райли, шпионит для него...

Диего смотрел на меня открыто и доверчиво. Да и какое дело до нас Райли? Может, слухи о Диего ни на чем и не основаны? Обычные сплетни?

Я ответила честно:

— Да... вообще-то, сама удивляюсь.

— Мы — не единственные в мире вампиры, — торжественно произнес Диего.

— Знаю. Райли пару раз обмолвился. Однако слишком много быть не может. Иначе мы бы их уже встретили, правда?

Диего кивнул.

— Согласен. И вообще-то достаточно странно, что *она* все новых обращает, как, по-твоему?

Я нахмурилась.

— Хм... А Райли-то нас не особенно жалует... — Я запнулась, ожидая возражений. Но Диего промолчал, и я продолжила: — *Она* нам даже не показывается. Ты прав! Я об этом как-то не подумала... И в голову не пришло. Тогда... зачем мы им понадобились?

Диего изогнул бровь.

— Поделиться соображениями?

Я осторожно кивнула. Но теперь уже боялась не его.

— Повторяю: что-то затевается. По-моему, *ей* нужна защита, вот *она* и отрядила Райли создавать солдат для передовой.

Я обдумала эту новость; по спине побежали мурашки.

— А что же они не говорят? Может, нам надо быть настороже или еще что-нибудь?

— Было бы логично, — согласился Диего.

Мы молча переглянулись. Я не знала, что еще сказать, и он, кажется, тоже.

Наконец, я скривилась и пробормотала:

— Даже не знаю, верить или нет... особенно в пользу от Рауля!

Диего хохотнул.

— Не поспоришь! — Он бросил взгляд в окно: светало. — Пора возвращаться, пока не сгорели до чипсов.

— Гори-гори ясно, чтобы не погасло, — тихонько пропела я, вставая и собирая книжки.

Диего хмыкнул.

По пути назад мы сделали еще одну короткую остановку — вломились в пустой соседний магазинчик и захватили большие водонепроницаемые пакеты и два рюкзака. Я сложила свои книжки сразу в два пакета. Терпеть не могу промокшие страницы.

А потом, почти не спускаясь с крыш, мы добежали до воды. Небо на востоке чуть заметно серело. Мы скользнули в залив прямо под носом у двух рассеянных ночных сторожей возле большого парома (им повезло, что я была сыта, а то бы не сумела сдержаться) и наперегонки поплыли в мутной воде обратно к Райли.

Я не сразу поняла, что это соревнование. Просто торопилась, ведь небо уже светлело. Обычно я не затягиваю до последнего. Если уж совсем начистоту, то из меня, по сути, вышел настоящий вампир-ботан. Я соблюдала правила, не затевала ссор, тусовалась с самым непопулярным парнем в нашей группе и всегда возвращалась домой пораньше.

А потом Диего как прибавил скорость! Вырвался на несколько корпусов вперед, обернулся назад и ухмыльнулся.

— Что, отстала?

И поплыл еще быстрее.

Ну уж нет! Вообще-то, не помню, нравилось ли мне соревноваться прежде — все это казалось таким далеким и неважным, — но, вполне возможно, что нравилось, ведь теперь я сразу приняла вызов. Диего хорошо плавал, зато я была сильнее, особенно после того, как наелась.

— Вот тебе! — пробормотала я, проплывая мимо него; впрочем, не знаю, услышал ли он.

Диего снова пропал из виду в темной воде, а я не стала тратить время, проверяя, насколько вырвалась вперед. Просто мчалась через пролив, пока не добралась до острова, на котором располагалось наше последнее пристанище. Прежде мы жили в большом сарае в заснеженных горах незнамо где. Как и предыдущий дом, теперешний находился на отшибе, имел огромный подвал, а его владельцы только что скончались.

Я выскочила из воды на каменистое мелководье, уперлась руками в песок на обрывистом берегу и взлетела наверх. Диего только вылезал на сушу, а я уже обхватила ствол нависающей над водой сосны и вылезла на край обрыва.

Я легко приземлилась на ноги... и сразу кое-что заметила. Во-первых, уже совсем рассвело. А во-вторых — дома больше не было.

Ну, не то, чтобы он совсем исчез. Торчали какие-то обломки, но вообще дома как такового не было. Крыша обвалилась, деревянный остов чернел обугленными балками, выщербленными, как истрепавшееся кружево.

Солнце стремительно всходило над горизонтом. Черные ночью сосны чуть заметно зеленели. Вскоре бледные иголки прорисуются на фоне темноты, но я к этому моменту уже погибну.

По-настоящему умру или уж не знаю как. Моя вторая, полная жажды жизнь супергероини оборвется огненной вспышкой. Могу себе представить, как больно, дико больно будет сгореть дотла.

Наш дом на моих глазах разрушался не единожды (из-за всех этих подвальных драк и пожаров большинство домов выдерживали считаные недели), но сейчас я впервые оказалась на пепелище с первыми, неяркими лучами угрожающего солнца.

Я задохнулась от ужаса; Диего приземлился рядом со мной.

— Может, закопаемся под крышу? — прошептала я. — Это спасет?..

— Не паникуй, Бри, — удивительно спокойно произнес Диего. — Я знаю одно место. Пошли.

И грациозно прыгнул с края обрыва.

Вряд ли вода достаточно надежно укроет нас от солнца. Но может, в воде мы хотя бы не загоримся? Так себе планчик, вообще-то.

И все же я не стала закапываться под выгоревший остов дома, а нырнула вслед за Диего. Сама не знаю почему, и это само по себе было странно. Ведь обычно я поступала так, как всегда — следовала привычному курсу.

Я догнала Диего уже в воде. Он опять плыл наперегонки, только теперь уже без дураков. Наперегонки с солнцем.

Он обогнул небольшой остров, нырнул... и неожиданно скрылся в расщелине, которая прежде казалась мне лишь каменистым выступом, и оттуда меня обдало гораздо более теплым течением.

Какой Диего молодец, что знает это место! Конечно, мало веселого просидеть весь день в подводной расщелине (не дышать несколько часов подряд достаточно противно), но это все равно лучше, чем обратиться в прах. Надо думать, как Диего... В смысле, о чем-то помимо крови. Надо быть готовой к неожиданностям.

Диего двигался все дальше по узкой расщелине в скалах. Тут царила кромешная тьма. Безопасно. Плыть здесь уже не получалось — слишком узко, — поэтому я пробиралась вперед, извиваясь, буквально просачиваясь по тесным изгибам. И тут Диего вынырнул на поверхность.

Я тоже вынырнула... замешкавшись на полсекунды.

Пещера. Точнее, небольшое углубление, ямка объемом с «фольксваген-жук», а в высоту даже меньше. В дальнем конце имелся еще один узкий лаз; оттуда проникал свежий воздух. В известняковых стенах многократно отпечатались пальцы Диего.

— Тут клево, — проговорила я.

Диего улыбнулся.

— Лучше, чем за спиной у Стремного Фреда.

— Не поспоришь. Э... спасибо.

— Всегда пожалуйста.

Мы с минуту рассматривали друг друга в темноте. Лицо у него было гладкое и спокойное. Вдвоем с любым другим — с Кевином, или

Кристи, или остальными — здесь было бы по-настоящему жутко... ограниченное пространство, вынужденная близость. Чужой запах со всех сторон. Верный признак скорой и болезненной смерти. Но Диего был такой сдержанный. Совсем не похожий на остальных.

— Тебе сколько? — вдруг спросил он.

— Три месяца, я же говорила.

— Я не об этом... Э... сколько тебе было лет?

Я беспокойно поерзала; оказывается, он имел в виду человеческую жизнь. О таком никто не говорил. Никто не хотел вспоминать. Но сейчас мне не хотелось бы и обрывать наш разговор. Беседа сама по себе была чем-то совершенно новым и необычным. Я помешкала, а Диего все так же с любопытством ждал.

— Мне... пятнадцать, что ли. Почти шестнадцать. Не помню даты... может, у меня день рождения уже прошел? — Я силилась вспомнить, но все последние голодные недели слились в размытое пятно, от попыток прояснить что-то голова начинала странно болеть. Я встряхнулась, оттоняя воспоминания. — А тебе?

— Только что исполнилось восемнадцать, — ответил Диего. — Почти успел.

— Что успел?

— Выбраться, — ответил он, но объяснять не стал. Повисло неловкое молчание.

— Ты молодец, все правильно делаешь, — произнес Диего, рассматривая мои скрещенные руки и сжатые коленки. — Ты выжила — избежала ненужного внимания, осталась цела.

Я пожала плечами и повыше закатала левый рукав футболки: показала тонкий рваный шрам вокруг предплечья.

— Мне ее однажды оторвали, — призналась я. — Хотя успела приделать обратно, пока Джен не зажарила. Райли показал, как прикреплять.

Диего лукаво улыбнулся и пальцем коснулся собственного правого колена. Должно быть, под темными джинсами скрывался шрам.

— Со всеми случается.

— Фу! — воскликнула я.

Он кивнул.

— Серьезно. Но, как я уже говорил, из тебя получился вполне приличный вампир.

— Я что, должна благодарить?

— Я просто рассуждаю, пытаюсь кое в чем разобраться...

— В чем?

Он слегка нахмурился.

— В том, что происходит на самом деле. Что задумал Райли. Зачем он таскает к *ней* все больше новичков. Почему Райли как будто совсем не волнует, какие эти новенькие — как ты или как тот придурок Кевин.

Такое ощущение, что он знал о Райли не больше меня самой.

— В каком смысле, как я? — переспросила я.

— Райли следовало бы искать таких, как ты — умненьких, а не всяких тупых подонков, которых таскает Рауль. Держу пари, в человеческой жизни ты не была какой-нибудь там наркошей.

Я неловко поерзала. Диего как ни в чем не бывало ждал ответа. Я глубоко вдохнула.

— Почти... — в конце концов созналась я под его терпеливым взглядом. — Не совсем, но через несколько недель докатилась бы... — Я пожала плечами. — Знаешь, хорошо помню, как гадала, что может быть хуже обыкновенного голода. А оказалось, что хуже всего — жажда.

Он рассмеялся:

— Кому ты рассказываешь, сестра!

— А ты? Точно ведь не сбежавший из дома трудный подросток, как мы все?

— Ну уж трудностей-то мне хватало. — Он замолчал.

Но я и сама умела ждать ответов на неудобные вопросы. Просто сидела, уставившись на него.

Он вздохнул. Дыхание его пахло очень приятно. Все пахли вкусно, но к дыханию Диего примешивался аромат... какой-то специи вроде корицы или гвоздики.

— Я с дурью не дружил. Много учился. Хотел выбраться из гетто, понимаешь? Поступить в колледж. Стать кем-нибудь. Но потом появился этот парень... вроде Рауля, на самом деле. Кто не с нами — тот умрет, такой у него был девиз. Мне ни того, ни другого не хотелось, так что я держался подальше от его банды. Был осторожен. Выживал. — Он помолчал, прикрыв глаза.

Но я не собиралась отступать.

— И?

— Мой младший брат был не так осторожен.

Я едва не спросила, что случилось с его братом — вступил в банду? Погиб? — однако по выражению его лица все поняла без слов. И отвернулась, не зная, что сказать. На самом деле я не могла осознать его потерю, его боль, которую он явно чувствовал до сих пор. У меня-то позади ничего не осталось. Может, в этом вся разница? Не поэтому ли он лелеял воспоминания, которых остальные избегали?

Я по-прежнему не понимала, при чем тут Райли. Райли и роковой чизбургер. Мне хотелось дослушать его историю, но было неловко настаивать.

К счастью для моего любопытства, Диего продолжил через пару минут:

— Я как бы не выдержал. Украл у одного знакомого ствол и вышел на охоту. — Он мрачно ухмыльнулся. — Тогда еще мало что умел. Я достал того урода, который прикончил моего братишку. Его подельники зажали меня в угол. И тут вдруг между ними и мной возник Райли. Помню, я еще подумал, что в жизни не встречал таких белокожих людей. Когда в него выстрелили, он даже не поморщился. Как будто пули не опаснее мух. Знаешь, что он мне сказал? Он сказал: «Хочешь новую жизнь, парень?»

— Ха! — усмехнулась я. — Это гораздо лучше, чем было со мной. Мне досталось только: «Хочешь бургер, девочка?»

Я хорошо помню, как Райли выглядел в тот вечер, хотя воспоминания размыты, ведь зрение у меня тогда было никудышное. Таких красивых парней я в жизни не видела! Высокий блондин, само совершенство... И глаза наверняка были такие же прекрасные под его всегдашними темными очками. А голос — мягкий, добрый... Мне казалось, я понимала, чего он захочет в обмен на еду, и, кстати, была на это готова. Не потому, что он был такой красавчик, а потому, что уже две недели ничего, кроме объедков, не ела. Впрочем, как выяснилось, он хотел совсем другого.

Диего рассмеялся при упоминании о бургере.

— Вот же ты проголодалась!

— Еще как!

— А с чего это ты была такая голодная?

— Потому что я ступила... сбежала из дома, а на права сдать не успела. На нормальную работу не смогла устроиться, да и воровать не получалось.

— А почему сбежала?

Я помедлила с ответом. Теперь, когда я старалась сосредоточиться на воспоминаниях, в памяти немного прояснялось, к сожалению.

— Ой, ну давай же! — принялся уговаривать Диего. — Я же тебе рассказал!

— Да уж, рассказал... Ладно. Я сбежала от отца. Он меня лупил все время. Может, и маму так же поколачивал, только она уже давно убежала. Я тогда совсем маленькая была, мало что понимала. А с отцом жилось все хуже. Я боялась, что если задержусь надолго, то в конце концов он меня просто убьет. А он меня пугал: мол, если убегу, то сдохну с голоду. Он оказался прав... впервые на моей памяти. Я об этом стараюсь не думать.

Диего кивнул.

— Такое трудно вспоминать, правда? Все смутно, как в тумане.

— Словно глаза песком запорошило.

— Хорошо сказано, — похвалил он, а сам прищурился и стал тереть глаза, как будто силясь что-то разглядеть.

Мы снова расхохотались. Так странно...

— По-моему, после встречи с Райли я ни с кем вдвоем не смеялся, — произнес он, точно подслушав мои собственные мысли. — Мне нравится! И ты мне нравишься. Не такая, как остальные. Пробовала когда-нибудь с ними поговорить?

— Не-а, ни разу.

— Ничего не потеряла. Вот я и думаю... Разве Райли жилось бы не лучше, если бы он окружил себя приличными вампирами? Если от нас требуется защищать *ее*, почему он не ищет тех, что с мозгами?

— Получается, мозги Райли не нужны... — предположила я. — Нужно количество.

Диего задумчиво прикусил губу.

— Как в шахматах. Он не играет конями или ферзем.

— Мы только пешки, — догадалась я.

Мы опять надолго уставились друг на друга.

— Мне такая мысль не нравится, — произнес Диего.

— Так что же нам делать? — спросила я, непроизвольно используя множественное число. Как будто мы стали командой.

Он на секунду задумался над моим вопросом, поморщившись, и я пожалела, что произнесла это «нам». Но потом он сказал:

— Перво-наперво необходимо понять, что происходит.

Кажется, он не возражал против команды, и мне стало так хорошо, как никогда прежде.

— Надо, наверное, не зевать, смотреть внимательнее...

Диего кивнул.

— Будем обдумывать все, что Райли говорит и делает. — Он осекся. — Знаешь, я как-то попробовал хоть что-нибудь из него вытянуть, а он посоветовал заботиться о более важном — например, о жажде.

Диего весь ушел в себя, в воспоминания о Райли, а я задумалась. Диего был для меня первым в жизни другом, но сама я для него была не первая.

Он вдруг снова обратил внимание на меня.

— Итак, что мы узнали от Райли?

Я сосредоточилась, постаралась восстановить в памяти прошлые три месяца.

— Вообще-то он нам почти ничего не рассказывает... Только самые основы про вампиров.

— Надо будет слушать внимательнее.

Мы помолчали. Не понимаю, почему до сих пор обо всем этом я даже не задумывалась. От разговора с Диего в голове словно прояснилось. Впервые за три месяца кровь волновала меня не в самую первую очередь.

Темное отверстие, из которого в пещеру просачивался свежий воздух, сделалось темно-серым и с каждой секундой едва заметно светлело. Диего заметил, как я опасливо кошусь на свет.

— Не волнуйся, — сказал он. — В солнечные дни сюда действительно проникает немного света, но это не больно.

И пожал плечами.

Я попятилась поближе к углублению на дне пещеры, которое уже мелело с отливом.

— Честно, Бри! Я бывал здесь днем. И рассказал об этой пещере Райли, о том, что она почти всегда затоплена водой, а он ответил — классно, можно скрыться на время из нашего дурдома. В самом деле, разве похоже, что я обжегся?

Я помялась. Все же удивительно, как отличаются его отношения с Райли от моих... Диего выжидательно смотрел на меня.

— Нет, — в конце концов пробормотала я. — Но...

— Смотри! — нетерпеливо воскликнул он, метнулся к туннелю и высунул руку по локоть наружу. — Ничего страшного.

Я кивнула.

— Успокойся! Хочешь, попробую выше? — С этими словами Диего просунул голову в лаз и полез наверх.

— Не надо! — Он уже целиком скрылся в туннеле. — Я успокоилась. Клянусь!

Раздался смех.

Мне хотелось броситься за ним, схватить его за ногу и вытащить назад, но я и шевельнуться не могла от страха. Глупо рисковать собственной жизнью для спасения незнакомца. Однако я никогда в жизни ни с кем не дружила. Тяжело отказываться от возможности поговорить с товарищем.

— No estoy quemando*, — сверху поддразнил он. — Подожди... что это? А-а-а!

— Диего?

Я кинулась к туннелю, сунула туда голову... и в нескольких дюймах от себя увидела его лицо.

— Бу!

От неожиданности я отпрянула и сухо обронила:

— Смешно.

Подвинулась, освобождая место.

---

* Я не горю! (*исп.*)

— Успокойся, девочка! Я уже проверял, понимаешь? Непрямые солнечные лучи — это не больно.

— То есть можно просто встать под тенистым деревом, и ничего не будет?

Диего помедлил, как бы раздумывая, стоит ли признаваться, и тихо сказал:

— Я однажды вставал.

Я уставилась на него, ожидая подвоха. Конечно, это шутка!

Но он не шутил.

— Райли говорил... — Я запнулась, смешалась.

— Ну да, Райли говорил! — кивнул он. — Может, Райли сам всего не знает.

— А как же Шелли и Стив? Дуг и Адам? Тот мелкий рыжий? Как же все? Их больше нет, потому что они вовремя не вернулись. Райли видел пепел!

Диего красноречиво сморщил нос.

— В старину вампирам приходилось скрываться днем в гробах, — настаивала я. — Укрываться от солнца. Диего, это общеизвестно!

— Ты права. Об этом говорится во всех историях про вампиров.

— А чего бы Райли добился, запирая нас в светонепроницаемом подвале — в одном гробу на всех — на целый день? Мы ведь только все ломаем, и приходится разнимать драки, и вечная суматоха... Не может же ему такое нравиться!

Что-то я такое сказала, чего Диего не ожидал, даже рот раскрыл от удивления.

— Что?

— Общеизвестно... — повторил он. — А что вампиры делают в гробах весь день?

— Э... ну, считается, что они там спят, так? Хотя лично я думаю, что просто лежат себе и скучают, ведь мы не... Ладно, эта часть — неправда.

— Вот именно. Только в рассказах они не просто спят. А вообще без сознания. Не способны проснуться. Человек может запросто подойти прямо к вампиру и вонзить ему кол в сердце. Вот, кстати, еще — колья. Ты веришь, будто тебя можно деревяшкой проткнуть?

Я пожала плечами.

— Как-то не задумывалась... Ну, во всяком случае, уж точно не обычной деревяшкой. Может, заостренный кол обладает некими... волшебными свойствами...

Диего фыркнул.

— Я тебя умоляю!..

— Я бы все равно не дожидалась безропотно, пока на меня бежит человек с колом наперевес.

Диего презрительно скривился (как будто магия вампирам вовсе не страшна), встал на колени и принялся скрести известняк над головой. Мелкие камешки и осколки сыпались ему прямо на голову, но он не обращал внимания.

— Что ты делаешь?

— Экспериментирую.

Он скреб свод пещеры руками, пока, наконец, не поднялся в проеме в полный рост.

— Диего, докопаешься наружу и взорвешься! Прекрати!

— Я не собираюсь... а, вот как раз!

Что-то громко хрустнуло и треснуло. Диего бросил мне обломок древесного корня — белый, мертвый, высохший, облепленный комьями земли. Отломанный конец был острый и зазубренный.

— Проткни меня!

Я кинула обломок ему обратно.

— Вот еще.

— Серьезно! Ты же знаешь, это не опасно!

Он снова кинул в меня деревяшкой; но я увернулась, не пытаясь поймать.

Он успел подхватить свою палку на лету и простонал:

— Ты такая... суеверная!

— Я вампир! Уж если это не доказывает правдивость суеверий, то я вообще не знаю!

— Ладно, тогда я сам.

Он театрально замахнулся острой палкой, как мечом.

— Брось! — встревожилась я. — Это глупо.

— Вот именно. Ничего не будет.

И вонзил кол прямо в грудь — туда, где прежде билось сердце, — с такой силой, словно собирался пронзить гранитную плиту. Я застыла от ужаса, а он расхохотался:

— Ты бы себя видела, Бри!

И выпустил палку из рук; колышек рассыпался на кусочки и разлетелся по всей пещере. Диего отряхнулся, хотя рубашка уже и так вся угваздалась от ночного плавания и раскопок. Нам обоим надо как-нибудь потом украсть еще одежды.

— Может, если человек пронзает, все иначе.

— Конечно, ты же, когда была человеком, чувствовала в себе волшебную силу!

— Диего, я не знаю, — раздраженно ответила я. — Я же не сама придумала рассказы о вампирах...

Он мгновенно посерьезнел.

— А если все рассказы именно придуманы?

Я вздохнула.

— Какая разница?

— Пока не знаю. Но если мы хотим выяснить, зачем попали сюда — зачем Райли привел нас к *ней*, для чего *она* делает все новых вампиров, — нам следует понять как можно больше.

Он хмурился; от веселья не осталось и следа.

Я молча смотрела на него. Мне нечего было ответить.

Потом лицо его слегка просветлело.

— Знаешь, так гораздо лучше. Ну, обсуждая. Это помогает мне сосредоточиться.

— Мне тоже, — подхватила я. — Хотя раньше и в голову не приходило... Разгадывать вдвоем... как-то сразу все понятнее.

— Точно. — Диего улыбнулся. — Я очень рад, что мы сегодня оказались вместе.

— Вот только сюсюканье не начинай!

— Как? Неужели ты не хочешь стать мне... — глаза у него расширились, голос поднялся на целую октаву, — ...лучшей подружкой?

Я закатила глаза. Он рассмеялся. Если честно, я не совсем понимала, смеется он надо мной или над дурацким выражением моего лица.

— Соглашайся, Бри! Будем ты да я, да мы с тобой! Пожалуйста!

Диего все так же дразнил меня, однако улыбался искренне и как-то... с надеждой? Он протянул мне руку.

Теперь я по-настоящему дала ему «пять», и только после того, как он поймал и сжал мою руку, догадалась, что он имел в виду совсем не это.

Так странно коснуться другого существа, когда всю жизнь (а ведь последние три месяца и были всей моей жизнью) избегаешь любых прикосновений. Как будто дотрагиваешься до искрящего электрического провода и вдруг понимаешь, что это на самом-то деле приятно.

Я улыбнулась — наверное, довольно криво.

— Я с тобой.

— Отлично! У нас будет собственный закрытый клуб!

— Очень закрытый.

Он так и держал меня за руку — уже не сжимал, но и не отпускал.

— Нам нужно секретное рукопожатие.

— Это уж на твое усмотрение.

— Итак, супертайный клуб лучших друзей объявляется открытым; секретное рукопожатие будет разработано позднее, — объявил Диего. — Главный вопрос на повестке дня: Райли — не знает? не пробовал? или лжет?

Он говорил, а сам смотрел прямо на меня широко распахнутыми честными глазами. При упоминании о Райли даже не моргнул. И тогда я окончательно поняла: во всех этих сплетнях про Диего и Райли не было ни слова правды.

— Вот еще добавь в повестку, — предложила я, — что Райли замышляет?

— В точку. Именно это нам и нужно выяснить. Только сначала еще один эксперимент!

— Не пугай меня.

— Доверие — важнейшая составляющая нашей затеи с секретным клубом.

Диего выпрямился во весь рост в том месте, где прорыл потолок повыше, и принялся копать дальше. Миг — и подтянулся на одной руке, а другой продолжал рыть; ноги его болтались в воздухе.

— Лучше бы ты чеснок выкапывал, — тревожно сказала я, отступив подальше, к туннелю, который уходил из пещеры к морю.

— В рассказах — вранье, Бри! — крикнул Диего и подтянулся еще выше; из отверстия сверху сыпалась земля. С такой скоростью он все наше убежище засыплет. Или светом затопит, что еще хуже.

Я почти целиком укрылась в туннеле, только кончики пальцев торчали. Вода доходила мне до пояса. Я могла бы в какую-то долю секунды исчезнуть внизу, в темноте. Могла бы провести весь день, не дыша.

Огонь мне никогда особенно не нравился. То ли из-за позабытых детских воспоминаний, то ли из-за недавних впечатлений. Хватило с меня пламени, пока я обращалась в вампира.

Кажется, Диего был очень близко к поверхности. Вновь на меня навалился страх лишиться только что обретенного и единственного друга.

— Пожалуйста, перестань, Диего, — шептала я, хотя и знала, что он не послушается, скорее, посмеется надо мной.

— Верь мне, Бри.

Я ждала, замерев.

— Почти... — бормотал он. — Вот так.

Я напряглась, готовая к вспышке света, к искре или взрыву, но Диего спрыгнул вниз, а в пещере было по-прежнему темно. В руке он держал еще более длинный обломок корня — толстую и гибкую палку почти с меня длиной.

— Я же не совсем безбашенный, — торжествующе заявил он. — Видишь, я осторожно.

И неожиданно воткнул палку туда, где только что копал. Вниз посыпались камешки и песок, а Диего отпрыгнул, упал на колени, убрался в сторону.

Ослепительный луч пронзил темноту пещеры. Целая колонна света опустилась сверху до самого дна, мерцая частичками осыпающейся сквозь нее пыли. Я вцепилась в выступающий край туннеля, приготовившись в случае опасности скользнуть вглубь.

Диего не отпрянул, не взвыл от боли. Гарью тоже не пахло. В пещере сделалось в сотни раз светлее, чем прежде, а с ним как будто ничего не случилось. Что ж, может, он и не наврал про тенистые деревья. Я внимательно смотрела; он опустился на колени возле солнечной колонны и застыл, разглядывая свет. Похоже, с ним все нормально... вот только кожа словно чуть изменилась. Она мерцала... или это оседающие песчинки танцевали на свету? Мне даже показалось, будто Диего чуточку светится.

А может, это не пыль? Может, он горит? Может, ему еще не больно, и он опомнится слишком поздно...

Шли секунды; мы по-прежнему, замерев, таращились на дневной свет.

Потом Диего сделал такой естественный и одновременно совершенно немыслимый жест — поднял руку ладонью вверх и протянул к свету.

Я рванулась к нему быстрее, чем успела подумать (а это, между прочим, дико быстро). Быстрее, чем когда-либо прежде.

Я отшвырнула Диего к дальнему своду наполовину засыпанной землей пещеры прежде, чем он успел вытянуть руку до конца и подставить кожу под свет.

Комната вдруг озарилась, а моей ноге стало тепло — тут же я поняла, что места нам обоим не хватит и я смогу прижать Диего к стене, только коснувшись солнечного луча.

— Бри! — выдохнул он.

Я вздрогнула и откатилась от него к стене. Все заняло меньше секунды, и это долгое время я ждала, когда же меня настигнет боль. Когда вспыхнут искры, когда займется пламя... как в ту ночь, когда я повстречалась с *ней*, только еще быстрее...

Ослепительная вспышка света погасла. Пещеру освещала лишь солнечная колонна.

Я взглянула на Диего: он с изумлением смотрел на меня. Совершенно неподвижный — явный признак тревоги. Мне хотелось посмотреть на собственную ногу, но было страшно увидеть, что там осталось. Это ведь происходит иначе, не так, как в тот раз, когда Джен оторвала мне руку, хотя тогда было больнее. Это не исправишь.

Боли все не было.

— Бри, ты видела?

Я отрицательно помотала головой.

— Что, совсем ужасно?

— Ужасно?

— Моя нога, — процедила я сквозь зубы. — Просто скажи, что с ней, ужас?

— По-моему, с твоей ногой все нормально.

Я осторожно бросила взгляд вниз, и точно — все на месте, и ступня, и голень, все как раньше. Я пошевелила пальцами. Шевелятся!

— Больно? — спросил он.

Я поднялась с пола, встала на колени.

— Нет пока.

— Ты видела, что случилось? Видела свет?

Я покачала головой.

— Тогда смотри. — Диего снова опустился на колени перед столбом света. — Только больше не отталкивай меня к стене. Ты уже сама доказала, что я прав.

Он протянул руку к свету. Наблюдать было почти так же жутко, как в прошлый раз, хотя в ноге ничего необычного не ощущалось.

Его пальцы вошли в луч света, и пещера озарилась миллионами ослепительных радужных отражений. Стало ярко, как в полдень в стеклянной комнате — свет был повсюду. Я зажмурилась, содрогнулась... Солнечный свет залил меня с головы до ног.

— Невероятно! — прошептал Диего. Он вытянул вторую руку под лучи, и в пещере сделалось будто еще ярче. Диего перевернул руку, посмотрел на тыльную сторону ладони, снова перевернул ладонью вверх. Отражения затанцевали по сводам, точно у него в руках вращалась призма.

Паленым не пахло, и боли он явно не чувствовал. Я присмотрелась к его руке внимательнее: на поверхности словно переливались бесчисленные крошечные зеркальца, почти не различимые по отдельности, но отражающие свет в два раза ярче, чем обычные зеркала.

— Иди сюда, Бри... сама попробуй!

Я не могла придумать повод отказаться и с любопытством, хотя все еще опасливо, придвинулась к нему.

— Не жжет?

— Нисколько. Свет нас не сжигает, просто... отражается от нас! И это еще слабо сказано...

По-человечески медленно я неохотно протянула пальцы к свету. И тут же моя кожа вспыхнула отражениями, в пещере сделалось светлее, чем на улице в ясный день. Хотя это были и не совсем отражения, потому что свет мерцал и переливался разными цветами, как в кристалле. Я сунула руку под свет целиком, и вокруг стало еще светлее.

— Как думаешь, Райли знает? — прошептала я.

— Может быть. А может быть, и нет.

— Почему он не сказал нам, если знает? Какой в этом смысл? Ну и что, что мы — ходячая светомузыка? — Я пожала плечами.

Диего усмехнулся.

— Теперь понятно, откуда берутся все эти истории. Только представь, что ты это увидела, когда была человеком! Ты бы решила, что кто-то вспыхнул огнем, разве нет?

— Если бы этот кто-то сразу свалил... Наверное.

— Невероятно! — восхитился Диего и пальцем прочертил изогнутую линию по моей сверкающей ладони.

Потом вскочил на ноги, прямо под лучами, и комнату затопило светом.

— Давай отсюда вылезем!

Он подтянулся и полез по недавно выкопанному лазу наружу.

Даже чуть успокоившись, я все еще боялась. Не желая показаться совершенной трусихой, я не отставала от Диего, а сама внутренне содрогалась. Райли так убедительно рассказывал про то, как вампиры сгорают на солнце!.. Его рассказы ассоциировались с ужасным огнем, охватившим меня, когда я обратилась в вампира. Одно только воспоминание о тех ощущениях повергало меня в ужас.

Мы стояли на пятачке травы в нескольких шагах от деревьев, покрывавших весь остров. Позади навис обрыв, дальше была только вода. Все вокруг сверкало и искрилось в нашем отраженном свете.

— Ух ты... — выдохнула я.

Диего оскалился, его лицо изумительно вспыхнуло. Внутри у меня вдруг все оборвалось, и я внезапно поняла, что лучшей подружкой тут не отделаться. Вот так, в одну секунду.

Оскал чуть смягчился и стал напоминать улыбку. Глаза Диего были распахнуты так же широко, как и мои, и сверкали восторженным благоговением. Он коснулся моего лица, как прежде дотрагивался до руки, будто силясь разгадать секрет свечения.

— Прекрасно, — пробормотал он, не отнимая руки от моего лица.

Я не знаю, как долго мы стояли друг напротив друга, с совершенно идиотскими улыбками, полыхая, будто факелы. Лодок в бухте не было, — и к лучшему, пожалуй. Сейчас нас заметил бы кто угодно, даже мутноглазые человечишки. Конечно, они бы нам ничего не сделали, однако есть мне не хотелось, а визги и вопли разрушили бы все очарование.

На солнце наползло плотное облако, и мы вдруг снова сделались сами собой, разве что чуточку посверкивали, хотя заметить это удалось бы лишь острым взглядом вампира.

Когда сияние угасло, в голове у меня прояснилось и тревожно затрепетала мысль, что же будет дальше? Диего снова выглядел обычно — во всяком случае, перестал полыхать сиянием, — но я чувствовала, что больше никогда не смогу воспринимать его, как прежде. Внутри все так же обмирало и вздрагивало, и казалось, что теперь это навсегда.

— Райли скажем? Будем считать, что он не в курсе? — спросила я.

Диего со вздохом отнял руку.

— Не знаю. Давай подумаем об этом, пока будем их искать.

— Днем искать придется осторожно. Мы... вроде как заметны на солнце.

Он ухмыльнулся.

— Будем как ниндзя!

Я кивнула.

— Сверхсекретный клуб ниндзя — это гораздо круче, чем ты да я, да мы с тобой.

— Определенно.

Место, откуда вся стая покинула остров, мы нашли буквально в несколько секунд. Это было самое легкое. Совсем другое дело — обнаружить место высадки на материк. Мы было заикнулись о том, что можно разделиться, но единогласно отвергли эту затею. А что, вполне логично — ведь если один из нас что-то найдет, как сообщить другому? Хотя, если честно, мне просто не хотелось разлучаться с Диего, и ему как будто тоже. У нас еще никогда в жизни не было достойной компании; теперь, когда она появилась, проводить время порознь...

Куда они могли уйти? Вариантов много. На материковую часть полуострова или на соседний остров, могли вернуться на задворки Сиэтла или отправиться на север, в Канаду. Всякий раз, когда мы доламывали или сжигали очередной наш дом, Райли был готов — как будто знал совершенно точно, куда идти дальше. Должно быть, планировал такие вещи наперед, хотя никого из нас в свои планы не посвящал.

Они могли уйти куда угодно!

Мы продвигались ужасно медленно, то ныряя в воду, то выходя на сушу, избегая встреч с людьми и лодками. Поиски продолжались весь день, впустую, но нам это даже нравилось. Мы так в жизни не веселились!

День выдался непривычный. Вместо того чтобы киснуть в темноте, пытаясь не обращать внимания на царящий кругом хаос, глотая отвращение к собственному убежищу, я играла в ниндзя с только что обретенным лучшим другом... а может, и больше чем другом. Мы с хохотом носились по тенистым полянам и швыряли друг в друга камешки, словно метательные звездочки-сюрикены.

А потом солнце опустилось, и на меня накатил испуг. Будет ли Райли нас разыскивать? Или решит, что мы поджарились на свету? Известна ли ему правда?

Мы побежали быстрее. Намного быстрее. Мы уже облазили все ближайшие острова, а теперь сосредоточились на материковой части. Примерно через час после заката я учуяла знакомый запах, и в считаные секунды мы напали на след нашей стаи. По запаху следовать за ними было так же просто, как за стадом слонов по свежему снегу.

На бегу мы стали уже всерьез обсуждать, как теперь быть.

— По-моему, Райли не стоит говорить, — высказалась я. — Давай скажем, что весь день проторчали в твоей пещере, а вечером побежали их искать. — Собственные слова, произнесенные вслух, лишь усилили мою подозрительность. — А еще лучше, скажем, что твоя пещера затоплена водой. Мы даже не могли общаться.

— Думаешь, Райли плохой? — чуть помолчав, тихо спросил Диего и взял меня за руку.

— Не знаю. Но предлагаю исходить из этого, просто на всякий случай. — Я помялась и все же добавила: — Тебе не хочется думать о нем плохо?

— Нет. Он мне вроде как друг... Нет, не такой, как ты, конечно... — Диего стиснул мне пальцы. — Но ближе, чем все остальные. Мне бы не хотелось думать, будто...

Он замолчал.

Я тоже сжала ему руку.

— От наших предосторожностей хуже ему не будет.

— Верно. Ладно, значит, рассказываем о затопленной пещере. По крайней мере, сначала... О солнце потом. Все равно это лучше днем сделать, когда можно доказать. А если он и так все знает, но по какой-то причине нам врал... Я поговорю с ним наедине. Встречу на рассвете, когда он будет возвращаться в дом из... ну, куда он там уходит.

На протяжении краткой речи Диего говорил «я» вместо «мы», и мне это было неприятно. С другой стороны, я не особенно стремилась открывать глаза Райли. Я доверяла ему гораздо меньше, чем Диего.

— Ниндзя атакуют на рассвете! — воскликнула я, чтобы рассеять напряжение.

Мы снова принялись шутить и дурачиться, выслеживая нашу стаю вампиров, однако я заметила, что на уме у Диего нечто более серьезное, как, впрочем, и у меня.

Мы бежали все дальше, и тревога во мне нарастала. Потому что мчались-то мы быстро, и явно в нужном направлении, но времени уже прошло слишком много. Мы порядком удалились от береговой линии и поднимались все выше, в горы, на неизведанную территорию. Это было непривычно.

Дома, которые мы заимствовали прежде, — в горах, на острове или на затерянных больших фермах — имели некоторое сходство. Умершие владельцы, уединенное местоположение... и кое-что еще. Все они концентрировались вокруг Сиэтла, как луны на орбите. Сиэтл всегда был в центре, всегда оставался точкой притяжения.

А теперь мы сошли с орбиты. Может, это ничего не значило, может, просто день такой сегодня, полный перемен. Все истины, которые я до сих принимала на веру, оказались ложными, и новых потрясений мне не хотелось. Ну почему Райли не выбрал какое-нибудь привычное место?

— Занятно, что они так далеко забрались, — обеспокоенно пробормотал Диего.

— Или страшно, — буркнула я.

Он сжал мою руку.

— Ниндзя-клубу ничего не страшно!

— Придумал уже секретное рукопожатие?

— Думаю, — ответил он.

Что-то меня беспокоило, как будто некое странное слепое пятно... я точно знала, что чего-то не видела, но чего именно — понять не могла.

А потом, примерно в шестидесяти милях от нашего обычного периметра, мы отыскали дом. Шум, оттуда доносившийся , было ни с чем

не спутать: грохот басов, беспорядочные выс
трелы и вопли из видеоигр. Точно наши.

Я отняла руку, и Диего удивленно обернулся ко мне.

— Ты что, я тебя даже не знаю! — шутливо
возмутилась я. — В жизни с тобой никогда не
разговаривала, мы ж в воде целый день проторчали.

Он ухмыльнулся.

— Верно, незнакомка. Просто делай то же,
что вчера. Завтра вместе на охоту пойдем. Может, что-то разведаем.

— Хороший план. Договорились.

Диего сделал быстрое движение ко мне и поцеловал — всего лишь чмокнул, но прямо в
губы. Меня пробрало до костей от неожиданности. Потом он проговорил:

— Идем. — И, не оглядываясь, направился
вниз по склону, на источник шума. Вошел в роль.

Я, как зачарованная, последовала за ним, не
забывая держать дистанцию в пару ярдов, как
вела бы себя в компании любого другого вампира.

Дом представлял собой большой длинный
барак, укромно расположенный среди сосен,
и ни следа соседей на мили вокруг.

Диего вошел первый, я двигалась за ним, как будто иду за Кевином или Раулем. Боязливо, охраняя собственное пространство.

Диего отыскал ступеньки и уверенной походкой спустился в подвал.

— Что, неудачники, соскучились?

— О, смотрите-ка, жив... — с явным неудовольствием откликнулся Кевин.

— Тебя благодарить не за что, — парировал Диего.

Помещение освещали лишь телеэкраны, но и этого света любому из нас было более чем достаточно. Я поспешила к дивану, который целиком занимал Фред, радуясь про себя, что могу не прятать беспокойства, так как скрыть его мне все равно не удалось бы. Я с трудом сглотнула, ощутив волну отвращения, и скрючилась в своей привычной позе за диваном. Как только я оказалась внизу, отталкивающее воздействие Фреда как будто ослабло. То ли я уже постепенно привыкала...

В подвале было меньше половины наших, ночь еще не кончилась.

— За тобой пришлось разгребать, идиот! — напустился Диего на Кевина. — Я вернулся чуть ли не на рассвете, а дом в руинах. Весь день в подводной пещере проторчал!

— Иди, нажалуйся Райли! Мне-то что?

— Я вижу, и малышка уцелела, — послышался еще один голос, от которого я содрогнулась: Рауль. Я испытала мимолетное облегчение — он, похоже, не знал моего имени, — но в основном ужаснулась тому, что он вообще меня заметил.

— Ага, за мной увязалась. — Я и не глядя на Диего поняла, что он пожал плечами.

— Ну надо же, ты просто спаситель! — ехидно хохотнул Рауль.

— За идиотизм нам дополнительных очков не назначают.

Напрасно Диего задирал Рауля. Скорей бы Райли вернулся. Только Райли способен хоть немного обуздать Рауля.

Но Райли, надо думать, рыскал в поисках малолетнего отребья, для *нее*. Или чем он там обычно занимался.

— Интересно получается, Диего! Думаешь, Райли тебя так любит, что ему не все равно, убью ли я тебя? А не ошибаешься? Впрочем, сегодня он тебя уже и так считает мертвым.

Было слышно, как зашевелились остальные. Кто-то, видимо, намеревался поддержать Рауля, другие просто не хотели попасть под руку. Я задергалась в своем убежище: понимала, что не смогу оставить Диего одного, но в то же время боялась за наш секрет, если дойдет до драки. Надеялась, что Диего выживал столько времени благодаря каким-нибудь невероятным боевым навыкам. Я-то все равно в этом смысле предложить ничего не могла. В подвале было трое из шайки Рауля, и еще кое-кто был не прочь прийти ему на помощь, просто чтобы очков в его глазах набрать. Успеет ли Райли вернуться домой, прежде чем нас сожгут?

Диего ответил совершенно спокойным голосом:

— Неужто ты и впрямь боишься померяться со мной один на один? Весьма в твоем духе.

Рауль оскалился.

— Что ты несешь? Так только в кино говорят! Для чего мне меряться с тобой один на один? Я ведь не собираюсь тебя побеждать, просто хочу прикончить.

Я подобралась, как пружина, приготовилась прыгнуть.

Рауль продолжал, наслаждаясь общим вниманием:

— Но тебя на всех нас тут не хватит. Вот эти двое разберутся со вторым свидетельством твоего неудачного выживания. С малышкой, как там ее...

Я окаменела от страха. Попыталась встряхнуться, чтобы сражаться в полную силу... хотя какая разница...

И вдруг почувствовала нечто совершенно неожиданное — волну отвращения, такую сильную, что не сумела удержаться на корточках и безвольно осела на пол, задыхаясь от ужаса.

И не я одна. Со всех концов подвала недовольно заворчали, кого-то тошнило. Многие отпрянули, вжались в стены, как будто пытались спрятаться от жуткого ощущения.

Рауль шумно рыгнул и бросился на лестницу. Остальные тоже пятились к выходу. В подвале вдруг осталось меньше половины вампиров.

У меня возможности сбежать не было, я едва могла шевельнуться. Наверное, потому, что сидела слишком близко от Стремного Фреда. Это все из-за него творилось. И, несмотря на жуткое самочувствие, я догадалась: он, кажется, только что спас мне жизнь.

Почему?

Отвращение медленно таяло. Собравшись с силами, я подползла к краешку дивана и осмотрелась. Шайка Рауля исчезла, но Диего все еще был здесь — возле телевизоров в дальнем углу просторного подвала. Оставшиеся вампиры постепенно приходили в себя, хотя вид у всех был неважнецкий. Многие бросали осторожные взгляды в сторону Фреда. Я тоже покосилась на его затылок, но не сумела ничего разглядеть и торопливо отвернулась. При взгляде на Фреда меня опять стало тошнить.

— Тихо!

Глубокий голос принадлежал Фреду. Он еще ни разу при мне не говорил. Все уставились на него — и единодушно отвернулись, как только снова накатила волна отвращения.

Значит, Фред просто хотел вернуть тишину и спокойствие. Ладно, без разницы. Я благодаря этому уцелела. Рауль выпустит пар на того, кто первый подвернется под руку. А Райли, вернувшись, узнает, что Диего просидел весь день в своей пещере, а не погиб от солнца, и Рауль уже не сможет безнаказанно напасть ни на него, ни на меня.

Возможно, к тому времени мы с Диего придумаем, как не пересекаться с Раулем.

У меня опять мелькнуло мимолетное ощущение, будто я упускаю какой-то очевидный выход. Но я не успела подумать как следует, меня перебили.

— Извини.

Этот низкий, почти беззвучный шепот мог издать только Фред. С кем он говорит, со мной?

Лица я не видела, он сидел ко мне спиной. Волосы у него были густые, волнистые, белокурые — прежде я этого не замечала. Райли не зря назвал Фреда «особенным». Отвратительным, но совершенно особенным. Знает ли Райли, сколько у Фреда на самом деле... силы? Он сумел моментально утихомирить целый подвал вампиров!

Я чувствовала, что Фред ждет от меня ответа.

— Не извиняйся, — почти беззвучно выдохнула я. — Спасибо.

Фред пожал плечами.

А потом... я снова не могла на него смотреть.

Часы тянулись медленнее обычного. Я ждала возвращения Райли и изредка косилась на Фреда — пыталась пробиться сквозь созданную им вокруг себя защиту, — но что-то меня неизменно отталкивало. Чем больше я старалась, тем сильнее тошнило.

Размышления о Фреде удачно отвлекали меня от мыслей о Диего. Я заставляла себя не обращать на него никакого внимания. Даже не смотрела в его сторону, не искала взглядом по подвалу, но вслушивалась в его дыхание — в отчетливый ритм, различимый даже на расстоянии. Он сидел в дальнем конце помещения, слушал диски на лэптопе. Или притворялся, будто слушает, как сама я притворялась, будто читаю книги, которые достала из промокшего рюкзака. Перелистывала страницы, но не видела ни строчки. Я ждала, когда появится Рауль.

К счастью, Райли появился первый. Рауль со своими прихлебателями ввалились следом за ним, но держались гораздо тише и менее вызывающе. Фред их, что ли, научил вести себя прилично?

Впрочем, больше похоже, что Фред их лишь разозлил. Хоть бы он свою защиту не утратил.

Райли тут же направился к Диего. Я прислушивалась, сидя спиной к ним, не поднимая головы от книги. Несколько придурков Рауля слонялись по подвалу в поисках любимых видеоигрушек. Кевин тоже бродил туда-сюда, но искал, кажется, не развлечений. Несколько раз он пытался вглядеться туда, где я пряталась, но не смог пробиться сквозь ауру Фреда. Через несколько минут он сдался и сел с недовольным видом.

— Вижу, ты вернулся невредимый, — с явным удовольствием воскликнул Райли. — На тебя можно положиться, Диего!

— Без проблем, — спокойно ответил Диего. — Не считая, разве что, того, что мне пришлось весь день сдерживать дыхание.

Райли засмеялся.

— В следующий раз до последнего не затягивай. Нужно малышам пример подавать!

Диего тоже захохотал. Краешком глаза я заметила, что Кевин слегка расслабился. Может, боялся, что Диего ему нагоняй устроит? Неужели Райли прислушивается к Диего больше, чем я подозревала? Может, Рауль поэтому взъярился?

А хорошо ли, что Диего и Райли так близки? Их отношения не умаляли того, что происходило между нами, верно?

После рассвета время тянулось по-прежнему медленно. В подвале шумели и буянили, как обычно. Если бы вампиры были способны охрипнуть, Райли давно бы уже потерял голос, — так он на всех орал. Несколько ребят временно лишились рук и ног; впрочем, никого не сожгли. Музыка заглушала выстрелы и вопли из видеоигр, и я порадовалась, что не могу больше испытывать головную боль. Читать не получалось; я листала страницу за страницей, не вглядываясь в буквы. В конце концов я сложила все свои книги аккуратной стопочкой на краешке дивана, для Фреда. Я ему всегда оставляла книги, хотя даже не знала, читал ли он. Да его и рассмотреть нельзя как следует!..

По крайней мере, Рауль в мою сторону не глядел. И ни Кевин, ни остальные. Мое убежище оставалось таким же надежным. Я не знала, хватает ли ума Диего не обращать на меня внимания, потому что сама его старательно игнорировала. Никто не заподозрил бы, что мы команда... кроме, может быть, Фреда. Заметил ли Фред, как я едва не вскочила на подмогу Ди-

его? Если и так, не стоит об этом беспокоить-
ся. Если бы я Фреду как-то особенно сильно
не нравилась, он бы позволил мне погибнуть
прошлой ночью. Проще простого.

Ближе к закату в подвале совсем расшуме-
лись. Здесь, внизу, нам не было видно, как заходит солнце, и наверху все окна были плотно
занавешены, просто на всякий случай. Но после многих долгих дней ожидания мы научились
хорошо угадывать, когда это ожидание близи-
лось к концу. Ребята начали дергаться, проси-
лись у Райли наружу.

— Кристи, ты вчера ходила! — возмутился
Райли; терпение его явно было на исходе. —
Хизер, Джим, Логан, ступайте. Уоррен, у тебя
глаза потемнели, тоже пойдешь с ними. Эй,
Сара, я все вижу! Вернись назад!

Те, кого он не пустил, кисли по углам; некоторые дожидались, когда Райли сам уйдет, на-
мереваясь незаметно сбежать на охоту вопре-
ки правилам.

— Эй, Фред, твоя очередь, — объявил Райли, не глядя в нашу сторону.

Фред со вздохом встал. Все ежились, когда
он проходил мимо, даже Райли. Впрочем, в отличие от остальных, Райли чуть заметно улы-

бался сам себе. Он был доволен своим вампиром «со способностями».

После ухода Фреда я почувствовала себя го-
лой и сидела совершенно без движения, низко опустив голову, изо всех сил стараясь не
привлекать внимания.

К счастью, Райли в эту ночь спешил. Почти
не обращал внимания на тех, кто пятился к две-
рям, не говоря уж о том, чтобы кого-то ругать,
и вскоре сам ушел. Обычно перед уходом он
устраивал нам очередную лекцию насчет того,
что нельзя высовываться, но сегодня никаких
наставлений не последовало. Он о чем-то напряженно думал, явно беспокоился... наверняка идет на встречу к *ней*. От этой мысли мне
почти расхотелось встречаться с ним на рассвете.

Я дождалась, когда Кристи с тремя своими
приятелями направилась к выходу, и выскольз-
нула следом, делая вид, будто я с ними. Я не
смотрела на Рауля, не смотрела на Диего. Держалась незаметно, ниже травы, тише воды.
Ничем не примечательная девчонка-вампир.

На улице я сразу же отстала от Кристи и
свернула в лес. Будем надеяться, что никому,
кроме Диего, не придет в голову вынюхивать

меня по следу. Я взобралась по склону ближайшего холма и на полпути к вершине выбрала себе укрытие в ветвях высокой ели, отстоявшей от остальных деревьев на пару метров. Отсюда было бы прекрасно видно любых вероятных преследователей.

Как выяснилось, я слишком осторожничала. Кроме Диего, никто меня не искал. Зато его я увидела еще издалека и поспешила навстречу.

— Долгий день, — заметил он и приобнял меня. — План у тебя сложный.

Я прижалась к нему, удивляясь, насколько рядом с ним уютно.

— Может, я напрасно подстраховываюсь?

— Прости за ссору с Раулем. Едва отделались.

Я кивнула.

— Хорошо, что Фред такой отвратительный.

— Интересно, понимает ли Райли, сколько силы у этого парня?

— Вряд ли. При мне он еще ни разу такого не устраивал, а ведь я почти все время рядом с ним сижу.

— Ладно, это дело Стремного Фреда. А нам надо о своем секрете рассказать Райли.

Я вздрогнула.

— Не уверена, что это правильно...

— Мы не узнаем, пока не увидим его реакцию.

— А мне вообще-то нравится не знать.

Диего оценивающе прищурился.

— Как насчет приключения?

— Смотря какого.

— Я тут думал о первоочередных задачах клуба... Помнишь, о том, как собрать побольше информации...

— И?..

— По-моему, надо последить за Райли. Разведать, чем он занят.

Я испуганно уставилась на Диего.

— Он поймет. Учует наши запахи.

— Да. И вот что я думаю: я пойду за ним по запаху. Ты будешь держаться поодаль, в нескольких сотнях ярдов, ориентируясь на звук. Тогда Райли узнает только про меня, а я объясню, что шел за ним, потому что хотел рассказать что-то важное. И тогда поделюсь с ним великим открытием, расскажу про эффект светомузыки. Послушаю, что он ответит. — Диего прищурился, рассматривая меня. — А ты... ты пока поберегись, хорошо? Я тебе расскажу, если он нормально все воспримет.

— А вдруг он вернется раньше? Ты же хотел рассказать днем, когда сам засветишься?

— Да уж, это определенно может повлиять на ход беседы. И все-таки, по-моему, надо рискнуть. Он сегодня явно спешил, правда? Как будто собирался делать, что он там обычно делает, всю ночь.

— Может быть. Или просто торопился к *ней.* Не стоит устраивать ему сюрпризы, когда о*на* поблизости.

Мы оба поморщились.

— Верно. Хотя... — Диего нахмурился. — Разве тебе не кажется, будто что-то надвигается? И время на выяснения у нас, скорее, не останется?

Я грустно кивнула.

— Ну да, кажется.

— Так давай рискнем! Райли мне доверяет, я не зря хочу с ним все обговорить.

Я обдумала предлагаемую стратегию. Я знала Диего всего один день, но все равно уже поняла, что такая тревожность ему не свойственна.

— Этот твой великий план... — начала я.

— Что мой план?

— Он как будто на одного рассчитан. Не похоже на клубное приключение.

Диего скривился, словно мои слова его задели.

— Так и задумано. Именно я... — Он помялся и с трудом выдавил: — ...доверяю Райли. И если я не прав, то пусть я окажусь с ним один на один, когда все пойдет не так.

Хоть я и трусиха, это мне не понравилось.

— В клубах все не так решается.

Он кивнул с каким-то странным выражением на лице.

— Ладно, по пути обдумаем... Передвигайся по деревьям, следи за мной сверху, лады?

— Хорошо.

Диего устремился обратно к дому. Я последовала за ним поверху; древесные кроны сплетались так густо, что мне почти не требовалось прыгать с дерева на дерево. Я старалась перемещаться мелкими перебежками и надеялась, что раскачивание ветвей под моим весом будет незаметно. Ночь как раз выдалась ветреная.

Диего с легкостью обнаружил запах Райли у дома и бросился по следу; я держалась в нескольких ярдах позади и гораздо севернее, выше по склону. Время от времени, когда лес становился слишком густым, Диего проводил рукой по стволу дерева, чтобы я его не потеряла.

Мы неслись все дальше — он бежал, а я изображала летающую белку, но уже минут через пятнадцать Диего замедлил шаг. Я забралась еще выше в крону, выискивая дерево с хорошим обзором. Наконец оседлала самую высокую ветку и осмотрелась.

Меньше чем в полумиле отсюда, за стеной деревьев открывалась большая поляна площадью в несколько акров. Почти в центре, ближе к деревьям с восточной стороны, красовалось сооружение наподобие гигантского пряничного домика — ярко-розового, зеленого и белого, до нелепости нарядного, с резными украшениями и фестончиками во всех мыслимых и немыслимых местах. В иных обстоятельствах я бы от такого зрелища просто расхохоталась.

Райли нигде не было видно, но Диего внизу остановился... надо полагать, этот дом и есть цель наших поисков. Может, Райли приготовил его нам на замену, когда развалится деревянный барак? Хотя вообще-то он меньше наших предыдущих домов, а подвала, похоже, совсем нет... К тому же этот дом еще дальше от Сиэтла.

Диего посмотрел наверх, и я жестами позвала его к себе. Он кивнул и закружил по поляне. Мощный прыжок (интересно, получилось бы у меня так прыгнуть, даже несмотря на молодость и силу?), и Диего ухватился за высокую ветку ближайшего дерева. Только самый бдительный преследователь смог бы его обнаружить. И все равно Диего запетлял по верхушкам деревьев, стараясь, чтобы шлейфы наших запахов не пересекались.

В конце концов он решил, что уже неопасно присоединиться ко мне, и вскоре схватил меня за руку. Я кивком показала на пряничный домик. Диего чуть заметно скривился.

Мы одновременно подошли к восточной стороне дома, по-прежнему по деревьям. Подобрались так близко, как только осмелились — чтобы между нами и домом оставалось некое подобие защиты в виде нескольких крон, — и молча засели над домом.

Повеяло легким ветерком, и мы что-то расслышали. Странные, ритмичные, причмокивающие звуки. Я даже не сразу поняла, что это такое, но Диего вновь криво усмехнулся, надул губы и беззвучно поцеловал воздух между нами.

Вампиры целуются не так, как люди; звуки выходят не мягкие, мясистые и влажные. Наши губы как каменные, неподатливые. Я прежде только один раз слышала поцелуй вампира — когда в ту ночь Диего прикоснулся губами к моим губам, — и теперь ни за что не опознала бы сходства, тем более ничего подобного не ожидая.

Неожиданное открытие спутало все мои мысли. Я-то воображала, что Райли придет к *ней* либо за дальнейшими инструкциями, либо с очередными рекрутами. Уж точно я не рассчитывала набрести на некое... любовное гнездышко. Неужели Райли может целовать *ее*? Я содрогнулась и посмотрела на Диего. Он тоже, кажется, был потрясен, но лишь пожал плечами.

Я попыталась восстановить в памяти последнюю свою человеческую ночь и поморщилась от ярких воспоминаний. Силилась припомнить мгновения прямо перед сгоранием, пробиться сквозь туман... Сначала ползучий страх, нарастающий по мере нашего с Райли приближения к темному дому; ощущение безопасности, охватившее меня от поедания бургеров в ярко освещенном кафе, полностью испарилось. Я ежилась, не хотела выходить, а он схватил меня за руку стальными пальцами и выдернул из машины, как невесомую куклу. Удивление, когда он одним прыжком преодолел десять ярдов до дверей. Ужас и боль, когда он сломал мне руку, затаскивая в темный дом. А после — голос.

Я вся ушла в воспоминания и вновь услышала тот самый голос. Высокий и напевный, как у маленькой девочки, но ворчливый. Девочка сердилась.

Я помню *ее* слова:

— А эту-то ты зачем притащил? Она слишком маленькая.

Может, не совсем точно, но смысл был такой.

Отвечая, Райли явно старался *ее* порадовать и боялся рассердить.

— По крайней мере, еще одно тело. Хотя бы отвлечет внимание.

По-моему, я тогда заскулила, потому что он больно меня встряхнул. Молча. Как будто тряс собаку, а не человека.

— Пропала ночь! — пожаловался детский голос. — Я их всех убила. Фу!

Помню, дом в этот миг содрогнулся, словно в него въехала машина. Теперь я понимала: она, видимо, рассерженно пнула стену.

— Ладно. Пусть маленькая, все равно лучше, чем ничего, если ты на большее не способен. По счастью, я сыта.

Болезненная хватка Райли ослабла. Я даже не пикнула — так была напугана. Только глаза закрыла, хотя и так в кромешной тьме ни зги не видела. Однако вскоре закричала — когда нечто вонзилось мне в шею, обожгло меня, как острие ножа, омытое в кислоте.

Я поежилась от воспоминаний, постаралась вытеснить из памяти случившееся потом и опять сосредоточилась на том коротком разговоре. Не похоже, что она тогда говорила с любовником или даже с другом. Скорее, с наемником. С наемником, которым была недовольна.

Странные вампирские поцелуи не утихали. Кто-то вздохнул от удовольствия.

Я покосилась на Диего. Подслушанное нам мало что дало. Стоит ли оставаться дольше?

Он лишь склонил голову набок.

Спустя еще несколько минут терпеливого ожидания приглушенные романтические звуки внезапно прекратились.

— Сколько?

Голос доносился глухо, но отчетливо. И узнаваемо. Высокий, почти визгливый. Голос испорченной девчонки.

— Двадцать два, — с гордостью ответил Райли.

Мы с Диего понимающе переглянулись. Нас было действительно двадцать два, во всяком случае при последнем пересчете.

— Я боялся, что солнце забрало еще двоих, но один из моих старших ребят оказался... послушен, — продолжал Райли. Когда он говорил о Диего — «одном из своих ребят», в его голосе послышалась симпатия. — У него подземное укрытие — они там спрятались вдвоем с младшей девчонкой.

— Ты уверен?

Последовала долгая пауза, на этот раз без всяких любовных причмокиваний. Напряжение чувствовалось даже отсюда, издалека.

— Да... Он хороший парень, точно.

Еще одна напряженная пауза. Я не поняла *ее* вопроса. Что *она* хотела сказать этим «ты уверен»? Заподозрила, что Райли услышал эту историю не от самого Диего, а в пересказе?

— Двадцать два... отлично, — задумчиво произнесла *она*, и напряжение несколько рассеялось. — Как они себя ведут? Кое-кому из них почти год. Все развивается как обычно?

— Да, — ответил Райли. — Все, что ты мне советовала, срабатывало безупречно. Они не задумываются — лишь делают то, что делали всегда. Я легко могу отвлечь их при помощи жажды. Они под контролем.

Я нахмурилась. Райли старался, чтобы мы не думали. Почему?

— Какой ты молодец, — защебетала наша создательница; послышался очередной поцелуй. — Двадцать два!

— Уже пора? — с готовностью воскликнул Райли.

Ответ выстрелил, как пощечина.

— Нет! Я еще не решила когда.

— Не понимаю...

— И не надо! Тебе достаточно знать, что у наших врагов огромная сила. Осторожность, только осторожность! — Затем *ее* голос смягчился, потек карамелью. — Главное, двадцать два до сих пор живы. Несмотря на все их способности... не смогут же они выстоять против двадцати двух?

Она переливчато рассмеялась.

Мы с Диего безотрывно смотрели друг на друга, и теперь я заметила по его взгляду, что он задумался о том же, о чем и я. Да, нас создали с определенной целью, как мы уже и сами догадались. У нас был враг. Или, скорее, враг нашей создательницы. Или это одно и то же?

— Решать, решать... — бормотала *она*. — Пока что рано... Может, еще одну партию, просто на всякий случай?

— Еще одну? Боюсь, останется только меньше, — осторожно предупредил Райли, очевидно, не желая *ее* злить. — Когда приходят новички, стабильность нарушается.

— Это верно, — согласилась *она*, и я представила, как Райли облегченно вздохнул — не рассердилась.

Диего вдруг скользнул взглядом мимо меня и стал вглядываться в дальний конец поляны. Движения в доме мне было не слышно, но, может, *она* вышла? Я торопливо обернулась и в ту же секунду замерла — увидела то же самое, что и Диего.

Четыре силуэта двигались через открытое пространство к дому. Они вышли на поляну с запада, с противоположной от нашего убежища стороны. Все четверо были закутаны в длинные темные плащи с нависающими капюшонами, и сначала показались мне людьми. Странными, но все же людьми, ведь я еще никогда не видела вампиров, так убедительно наряженных готами. И двигающихся столь мягко, уверенно и... изящно. Потом я подумала, что и люди, которых я встречала, так никогда не двигались, более того, не могли бы перемещаться так бесшумно. Создания в темных плащах скользили сквозь густую траву в абсолютной тишине. Значит, либо вампиры, либо еще что-то сверхъестественное. Может, привидения. Но если все же вампиры — значит, я таких вампиров не встречала, а следовательно, они вполне могли быть врагами, о которых говорила *она*. Тогда надо нам отсюда убираться, убираться немедленно, потому что на нашей стороне сейчас не было еще двадцати двух вампиров.

Я уже готова была рвануть прочь, но слишком боялась привлечь внимание созданий в капюшонах.

И просто смотрела, как плавно они двигаются, примечала и другие особенности. То, что они все время сохраняли идеальный порядок в виде ромба, грани которого ни на секунду не дрогнули, несмотря на неровности почвы. То, что существо на острие этого ромба выглядело гораздо меньше остальных и было закутано в более темный плащ. То, что они не вынюхивали путь по следу, а точно знали, куда идти. Может, их даже пригласили.

Создания стали молча подниматься по ступенькам; я наконец осмелилась выдохнуть. По крайней мере, они явились не за нами с Диего. Когда незнакомцы скроются в доме, мы сможем исчезнуть с очередным порывом ветра.

Я оглянулась на Диего и слегка кивнула в ту сторону, откуда мы пришли. Он сузил глаза и поднял вверх палец. Ну вот, отлично, хочет остаться!.. Я закатила глаза — саркастически, несмотря на дикий страх.

Мы снова посмотрели на дом. Существа в плащах беззвучно проникли внутрь, и я поняла, что ни *она*, ни Райли не произнесли ни слова с тех пор, как гости появились на поляне. Должно быть, что-то услышали или еще каким-то образом угадали надвигающуюся опасность.

— Не дергайтесь, — лениво скомандовал очень звонкий безучастный голос. Он звучал не так высоко, как голос нашей создательницы, но все равно показался мне девичьим. — Думаю, вы нас узнали. Значит, понимаете, что нас бессмысленно подстерегать. Или прятаться от нас. Или убегать.

По дому прокатилось эхо глубокого, явно мужского смеха — не Райли.

— Спокойно, — приказал первый, безучастный голос девушки в плаще. В нем звенел какой-то явственный оттенок, по которому я точно поняла, что девушка — вампир, не привидение и никакой другой ночной кошмар. — Мы вас не уничтожим. Пока.

Пауза, затем чуть слышное шевеление. Кто-то переминался с ноги на ногу.

— Если вы пришли не убивать, то... зачем? — напряженно спросила наша создательница.

— Нам необходимо разобраться в ваших намерениях. Особенно, если они касаются... некоего местного клана, — объяснила девушка в плаще. — Интересно, имеет ли он отношение к той бойне, которую вы устроили? Устроили незаконно.

Мы с Диего одновременно нахмурились. Все происходящее ставило нас в тупик, но больше всего — последние слова. Законы для вампиров? Какой коп, или судья, или тюрьма могли бы нас удержать?

— Да, — прошипела наша создательница. — Все мои планы связаны только с этим кланом! Но мы еще не готовы... Это сложно! — В *ее* голосе зазвенели капризные нотки.

— Поверьте, о сложностях мы знаем больше вашего. Удивительно, как вам удавалось так долго держаться в тени. Расскажите. — В монотонном голосе сквозил намек на любопытство.

Наша создательница замялась, потом стала торопливо рассказывать. Как будто что-то *ее* напугало.

— Я пока не приняла решение! — торопливо проговорила *она*.

— К несчастью, времени на раздумье у вас не осталось, — сказала девушка в плаще. — Решайте немедленно, как вы поступите со своей маленькой армией. — Мы с Диего обомлели, услышав про армию. — Иначе мы обязаны вас наказать, как требует закон. Отсрочка, хоть и короткая, мне не нравится. Это не по-нашему. Предлагаю вам поторопиться.

— Мы начнем сейчас же! — испуганно встрял Райли, но его прервало злобное шипение.

— Начнем, как только сможем, — яростно поправила наша создательница. — Нужно еще многое сделать... Полагаю, вы желаете нам успеха? Так дайте хоть немного времени, чтобы обучить их... проинструктировать... накормить!

Короткая пауза.

— Пять дней. Потом мы придем снова. И не надейтесь скрыться. Если не нападете к тому времени, вы сгорите.

В словах звучала не угроза, а безмерная, абсолютная уверенность.

— А если я нападу? — испуганно уточнила наша создательница.

— Посмотрим! — неожиданно весело ответила девушка в плаще. — Все зависит от того, чего вы добьетесь. Сделайте так, чтобы нам понравилось.

Последняя команда прозвучала ровно и звонко, но внутри меня всю пробрало холодом.

— Да! — зарычала наша создательница.

— Да, — эхом прошептал Райли.

В следующий миг вампиры в капюшонах бесшумно выскользнули из дома. Ни я, ни Диего не решались даже вздохнуть еще минут пять после их ухода. В доме тоже царила тишина. Еще десять минут прошло в полнейшем молчании.

Я коснулась руки Диего. Нужно воспользоваться возможностью и уйти отсюда. Сейчас я даже не особенно боялась Райли, просто хотела убраться как можно дальше от темных капюшонов. Укрыться среди своры вампиров в деревянном бараке... Так вот что испытывала наша создательница, вот для чего *она* создала такую толпу. В мире есть вещи более страшные, чем я представляла себе прежде.

Диего помедлил, прислушиваясь, и его терпение было вознаграждено.

— Ну, — прошептала *она* внутри дома. — Теперь они знают.

— Неважно! Нас больше...

— Любые предостережения важны! Столько дел! Всего пять дней!.. — *Она* застонала. — Хватит тянуть! Начинай сегодня же!

— Я тебя не подведу! — пообещал Райли.

Ох... Мы с Диего двинулись одновременно, выскочили из укрытия, перелетели на следующее дерево, устремляясь обратно, туда, откуда пришли. Теперь Райли спешил, и если бы он обнаружил запах Диего после всего, что наговорили им темные капюшоны, а самого Диего не увидел...

— Нужно торопиться, — на бегу шепнул Диего. — Повезло, что нас из дома не видно! Он не должен знать, что я все слышал.

— Поговорим с ним вдвоем.

— Слишком поздно. Он заметит, что твой запах не пересекается с моим. Это подозрительно.

Мы вернулись туда, откуда побежали вместе. Диего торопливо зашептал:

— Следуй плану, Бри! Я расскажу ему то, что собирался. До рассвета далеко, но делать нечего. Если Райли мне не поверит... — Он пожал плечами. — Ему и так есть о чем переживать. Может, он теперь внимательнее выслушает, — ведь нам, похоже, требуется любое преимущество! Возможность передвигаться в течение дня — это только на пользу.

— Диего...

Он взглянул мне прямо в глаза, и я ждала, что он вот-вот улыбнется, пошутит про ниндзя или тайный клуб.

Не пошутил. Зато медленно наклонился, не отрывая от меня взгляда, и поцеловал. Губы прижались к моим губам на один долгий-долгий миг, а мы все смотрели друг на друга...

Потом Диего со вздохом отодвинулся.

— Возвращайся в дом, спрячься за Фредом и притворись, что ни о чем не знаешь. Я скоро вернусь.

— Осторожнее!

Я схватила его за руку и крепко стиснула. Райли говорил о Диего почти с нежностью. Оставалось надеяться, что искренне.

Диего исчез за деревьями, легко, как ветерок. Я не теряла времени, не смотрела ему вслед, а стремительно соскочила вниз и помчалась напрямую к дому. Надеялась, что глаза все еще достаточно красные, яркие после вчерашнего, и это объяснит мое отсутствие. Быстро сбегала на охоту. Проголодалась и нашла одинокого туриста. Ничего особенного.

Чем ближе к дому, тем сильнее гремела музыка и резче доносился ни на что не похожий сладкий, дымный запах догорающего вампира. Я перепугалась до чертиков. Внутри погибнуть так же просто, как снаружи. Но выхода не было. Я не замедлила шаг, напротив, как можно скорее сбежала по ступенькам и прямиком в тот угол, где с трудом различался силуэт Стремного Фреда. Он стоял... раздумывал, чем заняться? Устал сидеть? Понятия не имею, да и какая разница? Я все равно не отойду от него ни на шаг, пока не вернутся Райли и Диего.

В центре комнаты догорала тлеющая куча... слишком большая, видимо, не просто чья-то рука или нога. Что ж, значит, нас у Райли стало меньше двадцати двух.

Никто, похоже, сильно не расстраивался из-за дымящихся останков. Зрелище давно стало для нас привычным.

По мере приближения к Фреду я впервые не испытала сильнейшего отвращения. Он меня как будто вовсе не заметил, продолжил читать книгу. Одну из тех, что я оставила ему пару дней назад. Теперь я без проблем могла разглядеть, чем он занят, — так близко подошла к его дивану. Интересно, почему так? Он умеет отключать тошноту по желанию? Или это означает, что теперь мы оба без защиты?

К счастью, Рауля все еще не было... хотя Кевин уже вернулся.

Я впервые присмотрелась к Фреду. Он оказался высоким, наверное, за шесть футов, с густыми светлыми вьющимися волосами (это я еще раньше заметила). Широкоплечий и мускулистый. И выглядит старше остальных — уже студентом, а не старшеклассником. А еще — и это меня поразило сильнее всего — он симпатичный. Не хуже остальных, а может, даже красивее. Не знаю, почему я так прибалдела. Наверное, потому, что раньше он вызывал сплошное отвращение.

Смотреть на него было непривычно. Я украдкой обвела комнату взглядом — заметил ли кто-нибудь еще, что Фред теперь нормальный (да еще красавчик)? Никто на нас не оборачивался. Я осторожно скосила глаза на Кевина, готовая в любую секунду отвернуться, если он меня засечет, но Кевин уставился куда-то чуть левее нас. С недовольным видом. А потом скользнул по мне взглядом и уставился куда-то чуть правее. Нахмурил брови. Как будто пытался разглядеть меня — и не мог.

Уголки моих губ сами собой поползли вверх. Однако радоваться неожиданной удаче было некогда, хватало других забот. Я оглянулась на Фреда, проверяя, не вернется ли отвращение, но он, оказывается, тоже улыбался. Улыбка делала его просто неотразимым.

Затем Фред снова уткнулся в книгу, и очарование пропало. Я напряглась в ожидании. Вот сейчас в дверь войдет Диего. Или Райли и Диего. Или Рауль. Или меня снова замутит от отвращения, или Кевин прожжет злобным взглядом, или очередная драка вспыхнет. Что-нибудь случится.

Когда не случилось ничего, я взяла себя в руки и занялась тем, что от меня сейчас требовалось — пыталась делать вид, будто все в порядке вещей. Ухватила книжку из стопки у ног Фреда, села на пол и притворилась, что читаю. Возможно, вчера я «читала» эту же книжку... нет, вроде незнакомая. Я скользила взглядом по строчкам, ничего, конечно же, не понимая.

Мысли наматывали короткие бешеные круги. Где Диего? Как отреагировал Райли на его рассказ? Что это все значило — разговор до прихода темных плащей, разговор после их ухода?

Я отмотала услышанное и увиденное назад, пытаясь соединить непонятные обрывки в осмысленную картину. В вампирском мире есть своя... полиция, от которой просто жуть берет. Из нашей неуправляемой стаи новообращенных вампиров хотят сделать боевой отряд, но это почему-то незаконно. У создательницы есть враг. Даже круче — два врага. Через пять дней мы должны напасть на первого, иначе второй — эти жуткие плащи — сами *ее* укокошат. Или нас. Или нас вместе с *ней*. Как только Райли вернется, нас начнут готовить к бою.

Я бросила быстрый взгляд на дверь, потом снова заставила себя уткнуться в книгу. А то, о чем они говорили до прихода плащей? Какое-то решение, которое *она* не может принять. Зато *ей* понравилось, что так много вампиров, много бойцов. Райли радовался, что мы с Диего остались живы... Он думал, что солнце забрало у него еще двоих — получается, он не знает, как на самом деле действует на вампиров солнечный свет? А вот *она* как-то непонятно отреагировала. Спросила Райли, уверен ли он. В чем? Что Диего жив? Или... что Диего не врет?

От последней мысли стало страшновато. Сама-то *она* знает, что от солнечного света нам вреда нет? Если да, то зачем обманывала Рай-ли — а с его помощью и всех нас?

Что-то *она* темнит — в буквальном смысле. Зачем? *Ей* так важно держать нас в неведении? Настолько важно, что Диего мог поплатиться за свое открытие? Я оцепенела, впадая в самую настоящую панику. Если бы могла потеть, меня бы бросило в пот. Усилием воли заставила себя перевернуть страницу и продолжить «чтение», чтобы не поднимать глаза.

Райли — жертва обмана, как и все? Или он заодно с *ней*? Что он имел в виду, когда говорил про солнце, которое забрало еще двоих? Что мы сгорели? Или... что мы раскрыли обман?

Если второе, то узнать правду значит пропа́сть? От ужаса все мысли тут же разбежались.

Надо собраться и включить логику. Без Диего, правда, это будет нелегко. Когда проговариваешь вслух, рассуждаешь вдвоем с кем-то, легче сосредоточиться. Без него мысли путаются от страха, перемешанного с непреходящей жаждой. Жажду не унять ничем. Даже сейчас, после того как я вдоволь напилась вчера, в горле жгло и саднило.

Думай о *ней*, думай о Райли, твердила я себе. Надо разобраться, почему они врут — если все-таки врут, — тогда можно строить догадки, как они восприняли открытие Диего.

Если бы они не соврали, если бы честно и откровенно признались нам, что днем можно гулять так же смело, как и ночью, что бы от этого изменилось? Предположим, нам не надо весь день торчать в темном подвале; предположим, вся наша стая — двадцать один вампир (или уже меньше, неизвестно, как там дела на охоте) — может шататься, где хочет, и делать, что пожелает.

Мы желаем охотиться.

А если возвращаться не надо, прятаться не надо, тогда... Тогда большинство, наверное, и не станет. Трудно заставить себя вернуться, когда в глазах темно от жажды. Но Райли крепко вдолбил нам боязнь погибнуть на солнце, снова испытать ту невыносимую боль, когда пылаешь заживо... Единственное, что может перебороть жажду, — инстинкт само-сохранения.

Только смертный страх удерживает нас вместе. Да, можно где-нибудь отсидеться, если что, как в той пещере у Диего, но кто об этом думает? Велено возвращаться на базу, и возвращаешься. Ясность мысли — это не по вампирской части. Не для новообращенных, по крайней мере. Вот Райли мыслит четко. Диего мыслит четче меня. А о тех, в капюшонах, я вообще молчу...

Меня прошибла дрожь. Значит, мы не всегда будем зацикливаться на жажде... Что же они станут делать, когда мы повзрослеем и начнем задумываться? До меня вдруг дошло, что среди нас нет никого старше Райли. Все новички. Мы нужны *ей*, чтобы натравить на какого-то неведомого врага. А потом?

Я отчетливо осознала, что не хочу лезть в эту заварушку. И тут же, следом, пришла еще одна простейшая мысль. Которую я никак не могла ухватить, когда мы с Диего мчались по следу стаи.

Мне и не нужно никуда лезть. Мне не обязательно тут оставаться.

Я снова застыла как статуя, раскручивая эту ошеломляющую мысль дальше.

Если бы мы с Диего хотя бы примерно не представляли, куда может направляться стая, напали бы мы на след? Не факт. А ведь это толпа народа, и наследили они — будь здоров. А если станут искать одинокого вампира, который в состоянии из воды выпрыгнуть куда-нибудь повыше, например на дерево, не оставив следов на кромке берега? Одного или, скажем, двух вампиров, которые морем способны добраться куда угодно? И вылезти на сушу где вздумается? Хоть в Канаде, хоть в Калифорнии, хоть в Чили, хоть в Китае...

Их никто никогда не отыщет. Они просто исчезнут. Растворятся в воздухе.

Нам не обязательно возвращаться на следующую ночевку! Как я раньше не додумалась?

Вот только... согласится ли Диего? Меня вдруг охватили сомнения. Может, он пока на стороне Райли? И из чувства долга не захочет его бросать? Все-таки Райли он давно знает, а меня — один день. И Райли ему ближе, чем я.

Я сдвинула брови, размышляя.

Ладно, с этим разберемся, как только удастся остаться с Диего наедине. И тогда, если наш тайный клуб не шутка, без разницы, какие там планы у нашей создательницы. Мы сбежим, а Райли обойдется девятнадцатью вампирами — или на скорую руку пригонит кого-нибудь на замену. В любом случае это уже не наша забота.

Я не могла дождаться, когда изложу Диего свой гениальный план. Шестое чувство подсказывало, что он согласится со мной. Хорошо бы.

Тут меня осенило — а что, если именно так и получилось с Шелли и Стивом и всеми остальными пропавшими? Ведь не на солнце же они сгорели, я теперь знаю. Выходит, Райли врал, что видел их пепел, только чтобы еще больше нас запугать и подчинить? Чтобы мы каждое утро на заре возвращались к нему, как покорное стадо? Может, Шелли и Стив просто откололись и сбежали? И никаких больше Раулей. Никаких врагов и боевых отрядов, угрожающих твоему будущему.

Что, если это Райли и имел в виду, говоря про отнятых солнцем? Беглецы. Тогда он должен быть рад, что Диего не поддался.

Почему же мы с Диего не сбежали... Мы тоже стали бы свободными, как Шелли и Стив. Никаких ограничений, можно без страха встречать зарю.

Я снова представила нашу ораву на вольном выпасе без комендантского часа. Вот, например, мы с Диего осторожно, как ниндзя, крадемся по темным закоулкам. А вот, скажем, Рауль, Кевин и остальные крутят светомузыку посреди оживленной городской улицы — трупы штабелями, вопли, крики, вертолеты над головой, беззащитные мягкотелые копы палят своими бесполезными игрушечными пульками, от которых даже царапины не останется, кино- и фотокамеры... Как только снимки замелькают в Сети, паника поднимется — мама не горюй.

Существование вампиров перестанет быть тайной. Даже Рауль не сможет перебить столько народу, чтобы сохранить нас в секрете.

Я поспешно ухватилась за кончик логической цепочки, пока мысли снова не разбежались.

Люди не знают о вампирах. Это раз. Райли всячески заставляет нас скрываться, не привлекать внимание людей, чтобы не просветить их ненароком на наш счет. Это два. Мы с Диего пришли к выводу, что правила едины для вампиров по всему свету, иначе о нас давно бы уже стало известно. Это три. Четыре — без особой на то причины никто бы таиться не стал, и понятно, что человеческая полиция с безобидными хлопушками не в счет. Причина должна быть достаточно серьезной, чтобы заставить вампиров весь день отсиживаться в душных подвалах. Настолько серьезной, что Райли и нашей создательнице пришлось нам наврать, убедить, будто солнечный свет несет гибель. Может, Райли объяснит Диего, в чем фишка, и если все правда так сурово, а Диего такой ответственный, он пообещает не выдавать тайну, и они разойдутся с миром. Конечно, так и будет... А если Шелли и Стив, разгадав про солнце и светомузыку, никуда не сбежали, а тоже пошли к Райли?

Следующее звено в логической цепочке напрашивалось само собой. Цепочка распалась, и меня снова охватил панический страх за Диего.

Я вдруг спохватилась, что сижу наедине со своими размышлениями уже довольно долго. Скоро должно светать. Тогда где же Диего? И Райли?

Не успела я додумать, как распахнулась дверь, и со ступеней спрыгнул хохочущий Рауль, за которым ввалились его дружки. Я сжалась в комок, придвигаясь к Фреду. Рауль нас не заметил, только глянул на поджаренные останки посреди комнаты и захохотал еще громче. Глаза его светились рубиновым огнем.

В охотничьи ночи Рауль не возвращался, пока окончательно не припрет. Пировал до последнего. Значит, заря еще ближе, чем я думала.

Наверное, Райли потребовал от Диего доказательств. Других объяснений не вижу. И поэтому они оба дожидаются рассвета. Тогда выходит, что Райли сам не в курсе, и наша создательница ему тоже врала. Или нет? Мысли снова перепутались.

Спустя несколько минут появилась Кристи со своими тремя. На кучку пепла ноль внимания. Когда с охоты вернулись еще двое, я поспешно пересчитала присутствующих. Двадцать. Все здесь, кроме Диего и Райли. Солнце вот-вот взойдет.

Наверху скрипнула дверь, ведущая в подвал. Я вскочила на ноги.

Вошел Райли. И закрыл за собой дверь. Спустился по ступенькам.

За ним никого.

Не успела я задуматься, что это значит, как уши заложило от яростного звериного рыка. Выпучив глаза, Райли в бешенстве уставился на груду пепла. Все застыли, притихли. Мы не раз видели Райли в гневе, но таким — никогда.

Вцепившись в орущий динамик, он сорвал его со стены и швырнул через всю комнату. Джен и Кристи едва успели увернуться; динамик впечатался в дальнюю стену, фонтаном брызнула цементная крошка. Акустику Райли растоптал ногами, и ухающие басы умолкли. А потом он подскочил к Раулю и сгреб его за грудки.

— Меня здесь вообще не было! — испуганно завопил Рауль. — Я и не заметил даже.

Райли с бешеным ревом отшвырнул Рауля, как до этого швырнул динамик. Джен и Кристи снова кинулись врассыпную. Рауль проломил собой стену, оставив в ней огромную дыру.

Схватив Кевина за плечо, Райли со знакомым жутким скрежетом оторвал ему правую руку. Кевин заорал от боли и попытался вывернуться. Райли пнул его под ребра. Снова душераздирающий скрежет, и Райли выломал руку окончательно. Разорвав ее пополам в локте, он метнул оба куска прямо в перекошенное от боли лицо Кевина. Бац, бац, как молотком по камню.

— Что ж вы за кретины такие? — завопил Райли. — Откуда такая тупость?

Он хотел схватить белобрысого Человека-паука, но тот успел увернуться, правда, под-скочил при этом слишком близко к Фреду и, судорожно сглотнув, попятился обратно к Райли.

— У вас у кого-нибудь мозги есть?

Райли толкнул парнишку по имени Дин в са-мую середину развлекательного уголка, и ап-паратура разлетелась вдребезги, а потом, цап-нув подвернувшуюся под руку Сару, открутил ей ухо вместе с клоком волос. Сара взвыла от обиды и боли.

До меня вдруг дошло, что Райли на самом деле сильно нарывается. Нас тут много. Рауль уже вернулся, и Кристи с Джен, которые обыч-но с ним на ножах, теперь прикрывали его с флангов. Остальные тоже сбивались в возму-щенные стайки.

Неизвестно, осознал Райли повисшую в воз-духе угрозу или просто успел выпустить пар, но он наконец остановился и сделал глубокий вдох. Швырнул Саре ее ухо и волосы. Она от-ползла, зализывая ухо, покрывая его своим ядом, чтобы приросло обратно. Жаль, волосы так не приклеишь. Будет теперь ходить с про-плешиной.

— Слушайте меня! — свирепо прошипел Райли. — Вся наша жизнь сейчас зависит от вашего умения слушать и шевелить мозгами. Мы погибнем — все до единого, — если хотя бы на несколько дней вы не включите свои безмозглые головы!

Это было совсем не похоже на обычные увещевания и предостережения. Вниманием ему завладеть удалось.

— Пора уже повзрослеть и начать самим о себе заботиться. Думаете, это ваше житье дается даром? Думаете, что за реки крови в Сиэтле не придется платить?

Очаги возмущения постепенно угасли. Все настороженно смотрели на Райли, некоторые озадаченно переглядывались. Краем глаза я увидела, что Фред оборачивается ко мне, но не ответила на его взгляд. Я держала в поле зрения два объекта: Райли, на случай если он снова начнет буянить, и дверь. Которая все не открывалась.

— Теперь слушаете? Точно слушаете? — Райли подождал, но никто даже не кивнул. В комнате по-прежнему висела напряженная тишина. — Сейчас я объясню, какая опасность нам на самом деле грозит. Для тех, кто в танке, попробую попроще. Рауль, Кристи, подойдите.

Он поманил вожаков двух самых крупных банд, на короткий миг объединившихся против него.

Ни Рауль, ни Кристи не двинулись с места, только напружинились.

Я думала, Райли смягчится, начнет извиняться, чтобы заставить их делать, что он велит. Но перед нами был другой Райли, новый.

— Отлично! — рявкнул он. — Капитаны нам понадобятся все равно, однако, вижу, вы двое на эту роль не подходите. Я думал, вы годитесь. Ошибся. Кевин, Джен, идите сюда. Команду возглавите вы.

Кевин, как раз приделавший оторванную руку, удивленно вскинул голову. При всей настороженности видно было, как ему польстило неожиданное назначение. Он медленно поднялся. Джен оглянулась на Кристи, словно спрашивая разрешения. Рауль скрежетнул зубами.

Дверь в подвал и не думала открываться.

— Ты что, тоже не можешь? — разозлился Райли.

Кевин шагнул было к Райли, но Рауль, перемахнув через всю комнату в два размашистых прыжка, опередил его: молча отпихнул Кевина к стене и встал по правую руку от Райли.

Губы Райли тронула едва заметная улыбка. Манипуляция, хоть и не самая изящная, удалась на славу.

— Кристи и Джен, кто из вас? — с легкой усмешкой спросил он.

Джен по-прежнему дожидалась, чтобы Кристи намекнула ей, как поступить. Кристи сверкнула глазами на Джен, встряхнула светлой гривой и, метнувшись к Райли, встала по левую руку от него.

— Долго же вы разбирались, — укоризненно сказал Райли. — У нас нет времени. Некогда теперь дурака валять. До сих пор вы почти ни в чем не знали отказа, но сегодня с этим будет покончено.

Он обвел взглядом комнату, смотря всем по очереди в глаза, убеждаясь, что мы слушаем. Когда он добрался до меня, я выдержала его взгляд не дольше секунды, а потом вновь стрельнула глазами на дверь. И тут же спохватилась, но Райли уже смотрел на кого-то другого. Заметил ли он мой косяк? Или он вообще меня подле Фреда не увидел?

— У нас есть враг, — объявил Райли и помолчал, дожидаясь, пока до всех дойдет.

Видно было, что для некоторых из нашей подвальной стаи это оказалось неожиданностью. Враг — это Рауль (или Кристи, для тех, кто в банде Рауля). Враг здесь, свой, потому что весь мир — это наш подвал. Мысль о том, что где-то могут таиться еще какие-то враждебные силы, способные причинить нам вред, большинству просто не приходила в голову. Как и мне — до вчерашнего дня.

— Некоторым из вас наверняка хватило мозгов догадаться, что раз есть мы, должны быть и другие вампиры. Старше, умнее... и талантливее. Которые покушаются на нашу кровь!

Рауль возмущенно зашипел, и вслед за ним его дружки.

— Вот именно! — продолжал нагнетать обстановку Райли. — Когда-то Сиэтл принадлежал им; потом они переехали. Сейчас вот узнали про нас и жалеют, что нам досталась их прежняя легкая добыча. Они понимают, что тут теперь наши угодья, но хотят вернуть их себе. И придут отвоевывать. Они выследят и перебьют нас поодиночке! И будут пировать на пепелище!

— Никогда! — взревела Кристи.

Из ее банды и банды Рауля послышалось согласное рычание.

—Выбора у нас нет, — заявил Райли. — Если будем ждать, пока они придут, преимущество окажется за ними. Все-таки здесь их территория. Встречаться с нами лицом к лицу им тоже не с руки, потому что нас больше и мы сильнее. Они будут хватать нас по отдельности, воспользовавшись нашим самым уязвимым местом. Ну, кто самый умный, кто догадается, в чем наша уязвимость? — Райли показал на уже размазанную по ковру горстку пепла, в которой трудно было бы распознать бывшего вампира.

Никто не шевельнулся.

Райли крякнул от досады.

— Разобщенность! Кому мы можем противостоять, если сами друг друга убиваем? — Он пнул горстку пепла, и она взвилась черным облачком. — Представляете, как они над нами хохочут? Они думают, отобрать у нас город — пара пустяков. Думают, мы слабые и безмозглые. Думают, мы сами поднесем им свою добычу.

Половина сидящих в комнате вампиров недовольно заворчала.

— Сможете действовать сообща? Или мы все умрем?

— Мы справимся, босс, — прорычал Рауль. Райли саркастически ухмыльнулся.

— Не справишься, пока не научишься владеть собой. Пока не научишься взаимодействовать со всеми до единого в этой комнате. Прикончишь кого-то, — он снова поддел носком ноги кучку пепла, — а он мог бы прикрыть тебя в бою. Убивая своих, вы делаете королевский подарок врагу. Вот, говорите вы, берите меня голыми руками.

Кристи с Раулем переглянулись, будто увидели друг друга впервые. Остальные тоже. Нет, мы, конечно, слышали, что бывают кланы, только к себе как-то это слово не применяли. Значит, мы клан?

— Сейчас я вам расскажу про наших врагов, — продолжил Райли, и все взгляды устремились к нему. — Их клан гораздо старше нашего. Им много сотен лет, и такое долгожительство — неспроста. Они ловкие и умелые;

они уверены, что Сиэтл достанется им, потому что против них всего лишь горстка неорганизованных мальков, которые сами друг друга перебьют.

Снова рычание и ропот, на этот раз уже не столько возмущенный, сколько настороженный. Несколько вампиров поскромнее, из тех, кого Райли называл ручными, задергались.

От Райли беспокойство не ускользнуло.

— Да, такими нас видят... Но они ни разу не наблюдали, как мы действуем сообща. А сообща мы их сокрушим! Пусть только посмотрят, как мы шагаем плечом к плечу, как сражаемся вместе, сразу перетрусят. Вот так мы перед ними и предстанем. Мы не будем дожидаться, пока они придут сами и начнут отлавливать нас поодиночке. Мы устроим засаду. Через четыре дня.

Четыре? Видимо, создательница решила не доводить до крайнего срока. Я снова оглянулась на закрытую дверь. Где же Диего?

Новость о четырехдневном сроке восприняли кто с изумлением, кто со страхом.

— Они ничего подобного от нас не ждут, — заверил Райли. — Что мы — все вместе — будем их караулить. И я еще не сказал вам самое замечательное. Их всего семеро.

Повисло недоверчивое молчание.

— Что? — переспросил наконец Рауль.

Кристи уставилась на Райли в таком же недоумении, остальные зашептались по углам.

— Семь?

— Ты серьезно?

— Эй! — оборвал всех Райли. — Я не шутил, когда сказал, что этот клан опасен. Они опытные и коварные. Знают приемчики. На нашей стороне сила, на их стороне — хитрость. Будем играть по их правилам — они победят. Навяжем им свои правила... — Райли улыбнулся, не договаривая.

— Так пойдем! — ощерился Рауль. — Наваляем им прямо сейчас!

Кевин радостно зарычал.

— Притормози,. балбес! — осадил его Райли. — Пороть горячку тоже не дело.

— Расскажи нам о них поподробнее, — попросила Кристи, смерив Рауля победным взглядом.

Райли задумался, словно подбирая слова.

— Хорошо. С чего бы начать... Прежде всего уясните: вы пока далеко не все знаете о вампирах. Не хотел вас накручивать с самого начала и вываливать все сразу. — Еще одна пауза, озадаченные взгляды. — На самом деле вам уже доводилось сталкиваться с так называемыми одаренными. У нас есть Фред.

Все посмотрели на Фреда — то есть попытались. Судя по выражению лица Райли, Фреду очень не понравилось оказаться вдруг в центре внимания. Он включил свой «дар» на полную мощь, и вся эта мощь обрушилась на Райли. Тот вздрогнул и поспешно отвернулся. Я по-прежнему ничего не ощущала.

— В общем, есть вампиры, наделенные кроме обычной сверхсилы и обостренных чувств еще каким-нибудь необычным умением. Как раз такое вы можете наблюдать... в нашем клане. — На этот раз он не решился прямо указать на Фреда. — Таланты встречаются редко, где-то один на пятьдесят, и каждый уникален. Они разнообразны и не равны по силе — какие-то покрупнее, какие-то помельче.

По комнате снова пошло бормотание — все гадали, нет ли и у них самих какого дара. Рауль самодовольно ухмылялся — определенно решил, что уж он-то наверняка одаренный. Но, по-моему, если кто из нас и мог претендовать на это звание, то тот, рядом с кем я устроилась.

— Не отвлекайтесь! — прикрикнул Райли. — Я не анекдоты рассказываю.

— А в этом вражеском клане, — догадалась Кристи, — есть одаренные, да?

Райли кивнул одобрительно.

— Именно. Рад, что хоть кто-то здесь способен сложить два и два.

Рауль недовольно оскалился.

— Во вражеском клане есть очень опасные для нас таланты, — продолжал Райли, понизив голос до драматического шепота. — Телепатия, например. — Он обвел нас взглядом, проверяя, осознаем ли мы, чем это грозит. Увиденное его не удовлетворило. — Ну, не тупите! Они прочтут ваши мысли. В бою они будут знать раньше вас самих, как вы сейчас поступите. Заходите слева — а вас там уже ждут.

Все напряженно замерли, представив картину.

— Поэтому мы так осторожничали — и я, и ваша создательница.

Кристи резко дернулась, услышав про создательницу. Рауль нахмурился. Все занервничали.

— Вы не знаете ни *ее* имени, ни как *она* выглядит. Так нужно, чтобы нас всех оградить. Если враги кого-то выловят, они не выйдут через вас на *нее* и, возможно, вас не тронут. Но если узнают, что вы принадлежите к клану, пощады не ждите.

Логика показалась мне странной. По-моему, при таком раскладе под защитой оказывалась прежде всего сама создательница, а не мы. Райли поспешно продолжил, не давая нам осмыслить сказанное.

— Разумеется, теперь, когда они собрались возвращать себе Сиэтл, это уже неважно. Мы подкараулим их по дороге и уничтожим, всех до единого. Причем мы не просто отвоюем город, но и покажем другим кланам, что к нам лучше не соваться. Можно будет уже не заморачиваться с заметанием следов и не осторожничать. Кровь рекой, пей не хочу. Охоться хоть каждую ночь. Поселимся прямо в городе, и он станет нашим.

Вместо аплодисментов послышалось одобрительное рычание. Райли убедил всех. Кроме меня. Я не шевельнулась и не издала ни звука. Фред тоже, но разве поймешь, что у него на уме?

Я не поверила Райли, потому что от его обещаний веяло враньем. Или это я где-то ошиблась в своей логической цепочке. У Райли получалось, что только враги мешают нам охотиться без ограничений и ни в чем себе не отказывая. Но почему тогда остальные вампиры вынуждены таиться? Ведь иначе люди давно бы про нас узнали.

Я не могла сосредоточиться и разобраться, потому что дверь в подвал по-прежнему даже не дрогнула. Диего...

— Для этого нам надо действовать сообща. Сегодня я покажу вам кое-какие приемы. Боевые приемы. Сражаться — это не просто мутузить друг друга и валять по полу, как в песочнице. Когда стемнеет, пойдем наружу тренироваться. Выкладывайтесь по полной, но не забывайтесь. Больше никаких жертв в нашем клане! Мы нужны друг другу, все до единого! И без глупостей. Если думаете, что мои слова можно пропускать мимо ушей, вы ошибаетесь. — Райли умолк на секунду, изменившись в лице. — Вот отведу вас к *ней*, поймете. — Я вздрогнула, и остальные, видимо, тоже — по комнате пошла волна. — Буду держать вас, пока *она* отрывает вам руки, а потом медленно-медленно сжигает пальцы, уши, губы, языки и прочие лишние причиндалы.

Нам всем доводилось терять конечности, и все прошли через адское пламя, превращаясь в вампиров, поэтому мы вполне живо могли себе представить, что нас ждет. Но страшнее всего было не это. Страшнее всего было выражение лица Райли. Никакой злости, как обычно, когда он сердился, наоборот, полное спокойствие и хладнокровие, ничем не искаженные прекрасные черты, уголки губ приподняты в едва заметной полуулыбке. Я вдруг поняла, что это совсем другой Райли. Изменившийся, зачерствевший. Что могло так изменить его буквально за ночь и вызвать эту бездушную ровную улыбку?

Меня пробрала дрожь, и я отвела взгляд, однако успела заметить, как на лице Рауля возникает такая же улыбка. Я прямо видела, как крутятся колесики в голове Рауля. Теперь он уже не будет, как дурак, убивать своих жертв быстро и без лишних мучений.

— Давайте для тренировки разобьемся на команды, — вернув прежнее, привычное выражение лица, продолжил Райли. — Кристи, Рауль, соберите своих, а остальных поделите поровну на свое усмотрение. Без драк! Покажите, что умеете работать мозгами. Проявите себя!

Он оставил их вдвоем, не обращая внимания, что они за его спиной тут же стали пререкаться, и начал обходить комнату по широкой дуге, подталкивая встреченных по дороге к кому-нибудь из двух назначенных капитанов. Я не сразу догадалась, что он направляется ко мне, — такой большой крюк он заложил.

— Бри... — Райли прищурился, силясь разглядеть меня.

Я превратилась в ледяную глыбу. Наверное, он учуял все-таки мой след в лесу. Я труп.

— Бри, — снова позвал он, чуть мягче. Так он разговаривал в первую нашу встречу. Пока строил из себя благодетеля. — Я обещал Диего передать тебе кое-что. Он сказал, что ты его поймешь как ниндзя. Тебе это о чем-то говорит?

Райли по-прежнему не мог сосредоточить на мне взгляд, но придвинулся ближе.

— Диего? — пробормотала я, не удержавшись.

Райли едва заметно улыбнулся.

— Можем поговорить? — Он кивнул на дверь. — Я проверил все окна, на первом этаже совершенно темно и безопасно.

Удаляясь от Фреда, я, наоборот, лишала себя безопасного укрытия, и все-таки я должна была узнать, что передал мне Диего. Что там у них произошло? Не надо было мне уходить, поговорили бы с Райли вместе.

Не поднимая головы, я последовала за Райли к лестнице. По пути он дал указания Раулю, кивнул Кристи и двинулся вверх по ступенькам. Краем глаза я отметила несколько любопытных взглядов, проследивших, куда он направляется.

В кухне действительно царила кромешная темнота. Поманив меня за собой, Райли провел меня по темному коридору мимо нескольких открытых дверей в такую же дверь, только с засовом. Мы оказались в гараже.

— А ты храбрая, — прошептал он. — Или очень мне доверяешь. Я думал, тебя не так просто будет уговорить выйти наверх при свете дня.

Ой. Надо было лучше косить под испуганную. Теперь поздно притворяться. Я пожала плечами.

— Значит, вы с Диего скорешились? — спросил Райли, едва шевеля губами. Наверное, если бы в подвале наступила абсолютная тишина, его бы и услышали, но сейчас там было шумновато.

Я снова пожала плечами.

— Он спас мне жизнь, — так же едва слышно прошелестела я.

Райли чуть заметно склонил голову, оценивая услышанное. Поверил? По-прежнему думает, что я боюсь дневного света?

— Он у меня лучший, — сказал Райли. — Самый сообразительный из всей стаи.

Я кивнула.

— Мы с ним обговорили ситуацию. Решили, что не помешает разведать обстановку. Действовать вслепую слишком опасно. А он единственный, кого можно послать в разведку. — Райли сердито хмыкнул. — Было б таких двое!.. Рауль слишком вспыльчивый, а Кристи слишком занята собой, дальше собственного носа не видит... Увы, других нет, приходится брать, что дают. Диего говорил, ты тоже соображаешь.

Я помолчала, не зная, насколько Райли в курсе наших похождений.

— Мне нужна твоя помощь — с Фредом. Силен, ничего не скажешь! Я на него сегодня даже взглянуть не смог.

Я снова осторожно кивнула.

— Представь, если он и врагам так же глаза отведет. Считай победа в кармане!

Вряд ли Фред на такое подпишется. Не похоже, что ему вообще есть дело до нашего клана. Захочет ли он нас спасать?..

— Ты все время рядом с ним отираешься.

Я пожала плечами.

— С ним меня никто не трогает. Но мне там тоже не сахар.

Райли кивнул, поджав губы.

— Диего был прав — соображаешь.

— Где он? Диего?

Зря спросила. Но как-то само собой вырвалось. Я помедлила, изображая равнодушие — без особого успеха, видимо.

— Я отправил его на юг, как только узнал, что нам предстоит. Если враги решат напасть раньше, нельзя, чтобы нас застали врасплох. Диего присоединится к нам, когда мы вступим в бой.

Я попыталась представить, где он может быть сейчас. Хотела бы я оказаться там же.

Может, смогла бы уговорить его не слушать Райли и не соваться между двух огней. А может, и нет. Наверное, Диего действительно, как я и опасалась, целиком на стороне Райли.

— Диего просил тебе кое-что передать.

Я посмотрела на него. Слишком поспешно, слишком заинтересованно. Опять прокололась.

— Правда, я ничего не понял, какая-то ерунда. «Передай Бри, что я придумал рукопожатие. Покажу через четыре дня, когда увидимся». О чем он? Ты понимаешь?

Я изобразила каменное лицо.

— Наверное. Он что-то говорил насчет тайного рукопожатия. Как пропуск в ту пещеру. Вроде пароля. Вообще-то он просто шутил. А что сейчас имеет в виду, я не знаю.

Райли усмехнулся.

— Бедолага Диего.

— Почему?

— Он на тебя явно запал сильнее, чем ты на него.

— Хм. — Я озадаченно отвернулась. Может, Диего своим посланием намекал, что Райли можно доверять? Но ведь он не признался Райли, что я в курсе насчет солнца. Зато не побоялся показать, что я ему небезразлична? В конце концов я решила, что благоразумнее держать язык за зубами. Слишком сильно все изменилось.

— Не спеши его отшивать, Бри. Он у нас лучший, точно тебе говорю. Дай ему шанс.

Романтические советы от Райли? Куда мы катимся? Я машинально кивнула, пробормотав:

— Обязательно.

— Попробуй подмазаться к Фреду. Надо заручиться его поддержкой.

Я пожала плечами.

— Сделаю что могу.

Райли улыбнулся.

— Отлично. Перед тем как выступать, я тебя отведу в сторонку, и ты расскажешь, получилось или нет. Постараюсь незаметно, не как сейчас. Не хочу, чтобы он думал, будто я за ним слежу.

— Ладно.

Дав знак следовать за ним, Райли направился обратно в подвал.

Тренировка шла весь день, но я в ней участия не принимала. Как только Райли отошел побеседовать с капитанами, я уселась на свое место рядом с Фредом. Ни в одну команду его не выбрали — может, сам не пошел, а может, его просто проглядели. Я его видела по-прежнему. Он бросался в глаза — огромный, похожий на белокурого слона, сидящего особняком.

Не имея ни малейшего желания вливаться ни в команду Кристи, ни в команду Рауля, я тоже наблюдала со стороны. Никто не обращал внимания, что я отсиживаюсь в уголке рядом с Фредом. И все же, несмотря на обеспеченную одаренным великаном невидимость, мне казалось, что я притягиваю взгляды. Если бы можно было стать невидимой и для себя тоже — увидеть иллюзию чужими глазами, поверить в нее. Но вроде на нас действительно всем было плевать, и вскоре я почти успокоилась.

За тренировками я наблюдала с пристальным вниманием. Запоминала — на всякий случай. Сражаться в мои планы не входило, я хотела только найти Диего и «сделать ноги». Но вдруг Диего решит сражаться? Или нам придется отбиваться от остальных, чтобы сбежать? Лучше уж заранее подготовиться.

Только раз кто-то поинтересовался насчет Диего. Спрашивал Кевин, но мне показалось, что это Рауль его надоумил.

— А что там с Диего? Поджарился? — вроде бы в шутку полюбопытствовал Кевин.

— Диего у *нее*, — ответил Райли, и все без уточнений поняли, у кого. — Рекогносцировка.

Некоторых передернуло. Больше вопросов не задавали.

Интересно, он действительно у *нее*? Я содрогнулась, как представила. Может, Райли это просто так сказал, чтобы не расспрашивали? Или, наверное, он не хотел, чтобы Рауль завидовал, чувствуя себя вторым, когда он нужен был Райли со всей своей спесью. Уточнять я не стала. По обыкновению притихнув, я наблюдала за тренировкой.

Она в итоге оказалась на редкость нудным делом, от которого только в горле сохло. Райли гонял своих бойцов три дня и две ночи без передышки. Днем оставаться в стороне было сложнее — куда денешься в набитом битком подвале? Зато самому Райли это было только на руку: удобнее гасить вспыхивающие потасовки. По ночам снаружи на открытом воздухе народ расходился не на шутку, но Райли сновал туда-сюда, только успевая подхватывать оторванные конечности и возвращать владельцам. Он хорошо владел собой и в этот раз догадался заранее изъять все зажигалки. Мне казалось, что, если стравить Рауля и Кристи на несколько дней без продыха, в этой неразберихе клан пару бойцов, если не больше, точно потеряет. Но Райли справлялся, хотя я и не верила, что такое возможно.

И все равно выходила сплошная долбежка. Райли приходилось все повторять по сто раз. Действуйте заодно, смотрите по сторонам, не атакуйте в лоб; смотрите по сторонам, не атакуйте в лоб, действуйте заодно; не атакуйте в лоб, действуйте заодно, смотрите по сторонам. Как для умственно отсталых — такое впечатление, что в отряд специально отбирали непроходимых тупиц. Правда, будь я там, с ними, в гуще драки, тоже наверняка тупила бы не меньше. Это сейчас хорошо рассуждать, наблюдая вместе с Фредом со стороны.

А вообще, напоминало, как Райли вдалбливал нам, что надо прятаться от солнца. Тоже повторял по сто раз одно и то же.

После десяти часов такой скучищи в первый день тренировки Фред, не выдержав, достал колоду карт и принялся раскладывать пасьянс. За ним наблюдать оказалось интереснее, чем считать по двадцатому кругу одни и те же проколы, поэтому я переключилась на карты.

Еще часов через двенадцать (мы уже снова перебрались в подвал) я указала Фреду красную пятерку, которую можно было переложить. Он кивнул, принимая подсказку. Закончив, он раздал карты уже на двоих, и мы сыграли в рамми*. За всю игру мы не обменялись ни словом, только Фред иногда улыбался. Никто на нас не смотрел и на тренировку не звал.

Перерывов на охоту Райли тоже не делал, и чем дальше, тем сильнее это начинало сказываться. Грызня вспыхивала чаще и уже почти без повода. Райли командовал все жестче и самолично успел оторвать две руки. Я старалась по мере сил забыть о жгучей жажде — в конце концов, Райли рано или поздно тоже проголодается, не вечно же он будет их гонять, — но жажда все равно занимала почти все мои мысли. Фред тоже как-то поднапрягся.

Когда наступила третья ночь — один день до часа икс, и при мысли о неумолимо бегущих

---

* Карточная игра, цель которой — выложить карты в определенных комбинациях. — *Примеч. пер.*

стрелках часов мой пустой желудок завязывался морскими узлами, — Райли прервал тренировку.

— Закругляйтесь, ребята! — велел он, и все выстроились перед ним неровным полукругом. Прежние банды привычно сбились вместе — видимо, тренировочные бои расстановку сил не изменили. Фред встал, засовывая карты в задний карман. Я пристроилась рядом, надеясь, что его отталкивающая аура и меня прикроет.

— Вы молодцы, — похвалил Райли. — Поэтому сегодня вас ждет награда. Пейте вволю, завтра силы вам пригодятся.

По комнате пронесся дружный радостный рык.

— Я не случайно сказал именно «пригодятся», а не «понадобятся», — продолжал Райли. — По-моему, вы, ребята, отлично справляетесь. Хорошо показали себя и замечательно поработали. Враг будет застигнут врасплох!

Кристи с Раулем одобрительно зарычали, а вслед за ними и обе группировки. Как ни странно, сейчас они действительно выглядели как боевой отряд. Не потому, что маршировали строем, например, а потому, что в их действиях появилась слаженность. Как в едином организме. Мы с Фредом, как обычно, не вписывались, но вряд ли кто-то, кроме Райли, о нас вообще вспоминал — он периодически скользил взглядом по тому углу, где мы сидели, будто проверяя, действует ли еще дар Фреда. При этом его, кажется, устраивало, что мы не участвуем. По крайней мере, пока устраивало.

— То есть мы выступаем завтра ночью, да, босс? — уточнил Рауль.

— Да, — с непонятной полуулыбкой ответил Райли.

Никто, кажется, ничего странного не заметил — кроме Фреда. Он вопросительно глянул на меня сверху вниз. Я пожала плечами.

— Готовы идти за наградой? — напомнил Райли.

Отряд откликнулся восторженным ревом.

— Сегодня вы испробуете, как мы заживем, когда устраним конкурентов. За мной!

Райли кинулся вперед, следом, за ним по пятам — Рауль с командой. Кристи со своей свитой начали толкаться и протискиваться в первые ряды.

— Не портите мне впечатление! — прикрикнул на них Райли из-за деревьев. — Сидите тогда тут и загибайтесь от жажды, мне плевать.

Кристи рявкнула на своих, и ее группировка угрюмо пристроилась за соперниками. Мы с Фредом подождали, пока хвост процессии скроется из вида. А потом он галантным жестом показал, что пропускает меня вперед. Вряд ли боялся подставлять мне спину, просто, видимо, проявил вежливость. Я понеслась догонять отряд.

Остальных давно и след простыл, но взять его снова не составляло труда. Мы с Фредом хранили дружное молчание. Я гадала, какие мысли бродят в его голове. Может, никаких, просто жажда. Если у меня внутри пожар, у него, наверное, тоже.

Минут через пять мы нагнали стаю, но продолжали держаться на расстоянии. Отряд двигался непривычно тихо. Сосредоточенно и как-то более... дисциплинированно. Я почти пожалела, что Райли не провел свою тренировку раньше. В такой стае жить было бы проще.

Перебежав пустое двухполосное шоссе, потом еще кусок леса, мы выскочили на пляж. Вода гладкая, мы двигались почти точно на север, значит, это, видимо, залив. Ни одного населенного пункта по дороге — думаю, Райли так специально рассчитал. Иначе жажда и нервное напряжение сделают свое дело, и вместо наспех сколоченного отряда с подобием дисциплины образуется визгливая куча-мала.

Мы еще никогда не выбирались на охоту все вместе, и, по-моему, вряд ли стоило начинать сейчас. Я вспомнила, как Кевин с Человеком-пауком дрались из-за женщины в машине в тот вечер, когда мы разговорились с Диего. Если Райли не догадался припасти целую толпу жертв, мы так, чего доброго, начнем друг друга на части рвать от жажды.

Райли остановился у кромки воды.

— Не тушуйтесь, — напутствовал он. — Пейте вволю, подкрепляйтесь, копите силы по полной. Ну все — идем пировать!

Описав плавную дугу, он нырнул в залив. Остальные, рыча в предвкушении, попрыгали за ним. Мы с Фредом на этот раз особо не отставали, опасаясь потерять след в воде. При этом я чувствовала, что Фред держится настороженно, готовый в любую секунду рвануть подальше, если вдруг выяснится, что вместо обещанного шведского стола нас ждет ловушка. Похоже, он, как и я, не особенно доверял Райли.

Проплыв всего ничего, мы увидели, что перед нами все потянулись наверх. Мы с Фредом вынырнули последними, и, как только наши головы показались на поверхности, Райли заговорил, словно только нас и дожидался. Похоже, он не забывал о Фреде, в отличие от остальных.

— Нам туда! — возвестил Райли, указывая на большой паром, шлепающий к югу (видимо, последний на сегодня рейс из Канады). — Дайте мне минутку. Когда вырубится свет, паром весь ваш.

Все залопотали в предвкушении. Кто-то хихикнул. Райли метнулся стрелой, и через секунду уже взлетал по борту белой громадины. Он мчался прямо к рубке на верхней палубе. Я так думаю, чтобы вырубить радиосвязь. Пусть сколько угодно твердит, что все наши меры предосторожности — только из-за врагов, но, по мне, дело не только в них. Люди не должны узнать о вампирах. То есть могут, но ненадолго. На краткий миг перед смертью от наших зубов.

Выбив большое стекло, Райли исчез в рубке. Через пять секунд паром погрузился в темноту.

Я вдруг обратила внимание, что Рауля уже нет. Наверное, нырнул потихоньку, чтобы мы не услышали, как он плывет за Райли. Все остальные тоже сорвались с места, и вода забурлила, как будто к парому двигался огромный косяк барракуд.

Мы с Фредом довольно неторопливо плыли в самом хвосте. Смешно даже: будто мы с ним какие-нибудь престарелые супруги. Ни словом не обменялись, но действуем слаженно.

Когда через три секунды мы оказались у борта, воздух уже наполнился воплями и запахом теплой крови. Только тогда я осознала, как полыхаю от жажды, но это было последнее, что я почувствовала. Мозг отключился. Остался только огненный шар в глотке и ароматнейшая кровь, кровь повсюду, кровь, которой можно залить это пламя.

Когда все закончилось и на пароме не осталось ни единого бьющегося сердца, я даже не смогла бы вспомнить, скольких убила. Раза в три больше, чем на любой предыдущей охотничьей вылазке, это точно. Меня кинуло в жар.

Я пила и не могла оторваться, даже когда жажда утихла, — просто не хотела расставаться с восхитительным вкусом. Кровь на пароме оказалась чистая и сочная — пассажиры явно не принадлежали к отбросам. Но при том, что я себя не сдерживала, по количеству жертв я, кажется, попала в самые отстающие. Вон там Рауль хохочет, восседая на целой горе обезображенных трупов.

Веселился не только Рауль. Из темноты доносились восторженные возгласы. Послышался голос Кристи: «Это было отпадно! Гип-гип-ура в честь Райли!» — и ее шайка действительно затянула нестройное и хриплое, как будто пьяное, «ура-а-а-а!».

На палубу запрыгнули Джен с Кевином — с них ручьями лилась вода.

— Всех догнали, босс, — отрапортовала Джен. Видимо, некоторые попытались спастись вплавь. Я и не заметила.

Я оглянулась в поисках Фреда. Нашла не сразу, только когда осознала, что не могу сосредоточить взгляд на укромном уголке около торговых автоматов. Я поспешила туда. Сперва показалось, что меня накрыл приступ морской болезни, но, когда удалось подобраться ближе, тошнота прошла и я увидела Фреда у окна. Он улыбнулся мельком и посмотрел куда-то поверх моей головы. Проследив за его взглядом, я поняла, что он наблюдает за Райли. И, судя по всему, уже довольно долго.

— Ну что, ребята! — воскликнул Райли. — Попробовали сладкую жизнь на вкус? Теперь пора за дело!

Ответом был радостный рев.

— У меня для вас три новости — и одна из них очень лакомая. Все, топим эту посудину и плывем домой!

С лаем и рычанием стая принялась растаскивать паром по винтикам. Мы с Фредом выпрыгнули в окно и наблюдали за происходящим на расстоянии. Ждать пришлось недолго: с протяжным скрежетом паром переломился посередине и тут же пошел ко дну, задрав нос и корму к небу. Они тонули по очереди, корма опередила нос на несколько секунд. Косяк барракуд двинулся к нам. Мы с Фредом повернули к берегу.

Домой мы добежали вместе со всеми, хотя и сохраняя дистанцию. Пару раз Фред поглядывал на меня так, будто собирался что-то сказать, но каждый раз в последний момент передумывал.

Дома Райли поспешил поумерить всеобщую эйфорию. Но даже спустя несколько часов он при всем старании не смог настроить всех на серьезный лад. На этот раз он пытался погасить не драку, а триумф. Да, если он наврал со своими обещаниями, тяжело ему придется после засады. Целая стая вампиров, узнавших, что такое отрываться по-настоящему, — их теперь вряд ли удержишь в четырех стенах. Но сегодня Райли был героем.

Наконец (по моим прикидкам, снаружи как раз занимался рассвет) все притихли и настроились. Судя по лицам, они готовы были внимать всему, что скажет Райли.

Райли с серьезным видом встал посередине лестницы.

— Три пункта, — начал он. — Во-первых, нужно не перепутать вражеский клан. Если мы вдруг прикончим не тех, только проколемся понапрасну. Нам надо обязательно застать врага врасплох. Этот клан выдают две особенности, и обе достаточно приметные. Прежде всего, эти вампиры отличаются внешне — у них желтые глаза.

Послышалось недоуменное перешепты-
вание.

— Желтые? — с отвращением переспросил
Рауль.

— Вы еще мало с кем сталкивались из вам-
пирского мира. Я же говорил, этот клан старый. Глаза у них слабее наших — пожелтели
от возраста. Очередной плюс к нашим преиму-
ществам. — Он кивнул самому себе, будто ста-
вя галочку. — Но это не единственный старый
вампирский клан, поэтому нам надо запомнить
еще одну отличительную черту — вот это как
раз и будет обещанный лакомый десерт. — Райли лукаво улыбнулся, выдерживая паузу. —
Такое трудно себе представить, — предупредил
он. — Я и сам не понимаю, как это, но видел
собственными глазами. Эти старики настолько размякли, что держат у себя в клане ручную
человеческую девчонку. Не шучу.

Ответом была глухая тишина. Никто не поверил.

— Да, понимаю, в голове не укладывается.
Но это правда. Мы их легко узнаем по этой девчонке.

— А... как это? — не поняла Кристи. — Они
людей сухим пайком что ли с собой таскают?

— Нет, девчонка всегда одна и та же, и только эта. Они ее не собираются убивать. Как у них это получается — а главное, зачем, — сам не знаю. Может, выпендриваются просто. Демонстрируют самообладание. Может, думают, что от этого выглядят сильнее. Мне не понять. Но девчонку я видел. Мало того, я взял ее запах.

Райли театральным жестом выудил из кармана куртки небольшой герметично закрывающийся пакет с какой-то скомканной красной тряпкой.

— Я уже несколько недель подглядываю за желтоглазыми — с тех пор, как они перебрались в эти края. — Он окинул нас отеческим взглядом. — Оберегаю своих крошек. В общем, короче говоря, когда стало ясно, что они движутся на нас, я добыл вот это, — он потряс пакетом. — Взял след. Вы все должны запомнить этот запах.

Он передал пакет Раулю, и тот, открыв застежку, изо всех сил потянул носом. А потом изумленно оглянулся на Райли.

— Вот именно, — кивнул тот. — Невероятно, правда?

Рауль, задумчиво сощурившись, передал пакет Кевину.

Один за другим вампиры перенюхали содержимое пакета, и все только глаза распахивали ошеломленно. Меня разобрало такое любопытство, что я даже отсела подальше от Фреда (поняв по легкой тошноте, что выбралась из-под прикрытия). Украдкой пристроилась рядом с Человеком-пауком, до которого очередь должна была дойти в конце. Он принюхался и уже хотел передать пакет обратно, но я негромко шикнула и протянула руку. Он спохватился, глянул недоуменно, словно видел меня впервые, и отдал мне пакет.

Красная тряпка оказалась, судя по всему, рубашкой. Я сунула нос в пакет, не сводя глаз со стоявших рядом (на всякий случай!), и вдохнула.

О! Теперь я поняла, почему у них у всех делались такие лица. У меня, наверное, получилось такое же. В хозяйке рубашки текла невероятно сладкая кровь. Райли не лукавил, когда говорил про лакомый десерт. И ведь я почти не испытывала обычной жажды, поэтому хоть глаза у меня и расширились в предвкушении, но горло не спешило болезненно сжиматься.

Я ощущала, как обалденно было бы попробовать эту сладкую кровь, но не мучилась, что не могу сделать это прямо теперь.

Интересно, когда я снова почувствую дикую жажду? Обычно она возвращалась через несколько часов после охоты; жгучая боль, едва тлеющая поначалу, разгоралась все сильнее и сильнее, пока — несколько дней спустя — от нее уже было не скрыться. Может, раз я сейчас столько выпила, боль отступит? Скоро увидим, решила я.

Я оглянулась, убеждаясь, что на пакет больше никто не претендует. Фреду ведь тоже будет любопытно понюхать. Райли, перехватив мой взгляд, улыбнулся краем губ и едва заметно указал подбородком на тот угол, где устроился Фред. Мне тут же захотелось развернуться и направиться в противоположную сторону. Эх, ладно. Незачем навлекать на себя подозрения Райли.

Я подошла к Фреду, преодолев волну тошноты, которая тут же спала, когда я оказалась в непосредственной близости. Отдала Фреду пакет. Великан улыбнулся, довольный, что я о нем не забыла, и понюхал рубашку. Потом задумчиво кивнул каким-то своим мыслям и с многозначительной улыбкой вернул пакет мне. Надо думать, в следующий раз, когда мы останемся вдвоем, он наконец поделится соображениями, которые не решался высказать до сих пор.

Я перебросила пакет Человеку-пауку — он ошарашенно дернулся, будто пакет упал с неба, но все же успел поймать его у самого пола.

Все шушукались по поводу запаха. Райли пришлось дважды хлопнуть в ладоши, чтобы наступила тишина.

— Итак, насчет десерта все понятно. Девчонка будет с желтоглазыми. И кто доберется до нее первым, тот и получит сладкое. Проще некуда.

Одобрительное рычание, соперническое рычание.

Да уж, просто. Только глупо. Мы ведь, по идее, идем уничтожать клан желтоглазых? И ключ к победе — сплоченность, а не «кто первым успел, тот и молодец, возьми с полки пирожок». А пока получается, что цель засады — убить какую-то девчонку. Я бы выдала навскидку полдюжины куда более действенных стимулов. Например, девчонку получит тот, кто перебьет больше желтоглазых. Или тот, кто больше проявит командный дух. Тот, кто лучше будет следовать намеченному плану. Кто будет точнее всех выполнять приказы. Лучший по итогам, и так далее. Я бы сосредоточила внимание бойцов на главной опасности — а от человеческой девчонки-то какая опасность?

Оглянувшись по сторонам, я поняла, что остальных, похоже, подобные мысли не посетили. Рауль с Кристи испепеляли друг друга взглядами. Сара и Джен шепотом ругались, кому достанется приз.

Вот разве что Фред мыслит в том же направлении. Судя по тому, как он нахмурился.

— И последнее, — продолжил Райли. С явной неохотой. Странно, я раньше у него нерешительности не наблюдала. — Это, наверное, будет еще труднее осознать, поэтому я вам просто покажу. Я не потребую от вас ничего такого, чего не сделал бы сам. Помните, ребята, я вас не брошу.

Народ снова замер и притих. Я заметила, как Рауль по-хозяйски вцепился в возвращенный ему пакет с запахом.

— Вам еще многое предстоит узнать о вампирской жизни. Что-то проще понять, что-то сложнее. То, что я вам покажу, может вызвать недоумение поначалу, но я испытал это на себе. — Он выдержал значительную паузу. — Четыре раза в год солнце светит так, что его лучи падают на землю под косым углом. Поэтому у нас есть четыре дня в году, когда мы можем без опаски выходить на солнце.

Все затаили дыхание. И окончательно окаменели. Перед Райли стояла толпа статуй.

— Один из таких дней как раз начинается. Солнце, которое восходит сейчас снаружи, не причинит нам никакого вреда. И мы воспользуемся этим уникальным явлением, чтобы застать наших врагов врасплох.

В моей голове все завертелось каруселью и перевернулось вверх тормашками. Значит, Райли известно, что на солнце нам ничего не будет? Или он все-таки ничего не знает и повторяет байку про «четыре дня» со слов нашей создательницы? Или... это истинная правда, и нам с Диего просто повезло оказаться снаружи именно в такой день? Но ведь Диего пробовал и раньше, когда стоял под деревом в тени? И потом, у Райли получается что-то вроде равноденствий-солнцестояний, то есть эти дни у него идут не подряд, а ведь мы с Диего высовывались на солнце совсем недавно.

Понятно, что Райли и нашей создательнице страх перед солнцем нужен, чтобы держать нас в руках. Логика ясна. Но зачем тогда понадобилось — именно сейчас — открывать такую странную полуправду?

Я бы поспорила на что угодно, это как-то связано с теми жуткими капюшонами. Наверное, *она* хочет гарантированно опередить установленный ими крайний срок. Плащи ведь не обещали оставить *ее* в живых, когда мы разделаемся с желтоглазыми. Так что, наверное, когда дело будет сделано, *она* смотается отсюда со скоростью пули. Уничтожить желтоглазых — и в длительный отпуск в Австралию или еще куда-нибудь на другом краю земли. И я очень сомневаюсь, что *она* вышлет нам оттуда приглашения на тисненой бумаге. Надо побыстрее состыковаться с Диего и тоже «брать ноги в руки». Линять в противоположную сторону от Райли и создательницы. Да, и Фреду надо намекнуть. Как только улучу минутку наедине.

На одну крохотную речь столько притворства и лжи, что я, может быть, даже не все рас-

познала. Жаль, нет Диего — мы бы вместе по-
размыслили.

Если Райли сочинил эту чушь про «особые
дни» прямо сейчас, на ходу, это как раз понятно. Не может же он сказать: «Ребята, я вам на-
гло врал все это время, но теперь открою правду». Если он собирается вести нас сегодня в
битву, нельзя подрывать хлипкое доверие.

— Я понимаю, что вам страшно об этом подумать, — успокаивал Райли ряды неподвиж-
ных статуй. — Если вы до сих пор живы, то
только потому, что слушались моих наставлений. Возвращались домой вовремя, не делали
глупостей. Страх перед солнцем научил вас
хитрости и осторожности. И я не прошу вас
взять и сразу отбросить этот полезный страх.
Не жду, что вы помчитесь наружу по одному
моему слову. Но... — Он обвел комнату взглядом. — Я очень надеюсь, что вместе со мной
вы выйдете.

На крошечную долю секунды он отвел глаза и скользнул взглядом куда-то поверх моей
головы.

— Смотрите на меня, — велел он. — Слушайте меня. Доверьтесь мне. Верьте своим глазам, когда увидите, что со мной все в порядке.

В этот особенный день ваша кожа под солнцем будет выглядеть очень необычно. Сами убедитесь. Ничего страшного с вами не произойдет. Я не собираюсь подвергать вас опасности. Вы же понимаете.

И он двинулся по ступенькам к выходу.

— Райли, а может, мы просто подождем... — начала Кристи.

— Лучше послушай, — оборвал ее Райли, поднимаясь размеренным шагом. — У нас будет огромное преимущество. Желтоглазым прекрасно известно про особые дни, но откуда им знать, что и мы в курсе? — Он открыл дверь и вышел из подвала в кухню. Наглухо зашторенные окна не пропускали свет, но все поспешно отодвинулась подальше. Все, кроме меня. Из кухни донесся голос Райли, он приближался к выходу из дома. — Молодым вампирам в большинстве своем это осознание трудно дается — и неудивительно. Те, кто шутит шутки с солнечным светом, долго не живут.

Я почувствовала взгляд Фреда. Он настойчиво буравил меня глазами, будто смотался бы прямо сейчас, да некуда.

— Все в порядке, — почти беззвучно прошептала я. — Солнце нас не убьет.

— Ты ему веришь? — одними губами изобразил он.

— Еще чего!

Фред приподнял бровь и вроде слегка успокоился.

Я обернулась. На что там смотрел Райли? Ничего нового на стене: семейные фотографии каких-то покойников, маленькое зеркало, часы с кукушкой. Гм. Он что, время проверял? Наверное, ему создательница тоже какой-то крайний срок установила.

— Ну все, ребята, я выхожу, — возвестил Райли. — Честное слово, сегодня бояться нечего.

Через открытую дверь в подвал ворвался солнечный свет, отраженный — это знала только я — кожей Райли. По стене заплясали солнечные зайчики.

Шипя и огрызаясь, клан забился в противоположный от Фреда угол. И дальше всех — Кристи, которая, видимо, решила прикрыться своей бандой как щитом.

— Не бойтесь! — крикнул Райли. — Со мной все в порядке. Ни ожогов, ни боли. Идите сюда, сами увидите. Давайте!

Никто не двинулся с места. Фред скорчился у стены рядом со мной, в панике глядя на лучи света. Я едва заметно помахала рукой, привлекая его внимание. Он посмотрел, отмечая мое спокойствие. Потом медленно выпрямился. Я ободряюще улыбнулась.

Все остальные ждали, пока запахнет паленым. Интересно, я тогда в глазах Диего такой же дурочкой смотрелась?

— А знаете, — донесся сверху задумчивый голос Райли. — Интересно было бы узнать, кто из вас самый смелый. Я догадываюсь, кто выйдет в эту дверь первым, но я ведь могу и ошибаться.

Я закатила глаза. Да уж, Райли, очень тонко.

Однако уловка сработала. Рауль почти сразу же начал осторожно двигаться к двери. Кристи на этот раз не спешила его обставить. Рауль щелчком пальцев подозвал Кевина, и тот вместе с Человеком-пауком неохотно пристроился рядом.

— Вы же меня слышите. Значит, я не сгорел. Что вы как в детском саду? Вы же вампиры. Ведите себя соответственно!

Но Рауль с дружками по-прежнему мялись у подножия лестницы. Остальные вообще не двигались. Через несколько минут Райли вернулся. Свет от входной двери сюда почти не доходил, и его кожа лишь слегка мерцала.

— Ну смотрите же, ничего со мной не сделалось! Видите? Мне за вас стыдно! Иди сюда, Рауль!

В конце концов ему пришлось схватить Кевина (Рауль вовремя увернулся, просчитав маневр Райли) и затащить его на лестницу силой. Я увидела, как они выскочили наружу, и дверной проем тут же заискрился множеством огней.

— Скажи им, Кевин! — велел Райли.

— Все в порядке, Рауль! — крикнул тот. — Вау! Я весь... сверкаю! Такой кайф! — Он рассмеялся.

— Молодец, Кевин, — громко похвалил Райли.

Этого Рауль уже не мог вынести. Скрежетнув зубами, он потопал наверх и, хотя видно было, что он не слишком торопится, вскоре он уже хохотал и переливался огнями вместе с Кевином.

Но даже после этого дело пошло не так быстро, как я думала. Все выползали по одному.

Райли начал терять терпение. Вместо уговоров в ход пошли угрозы.

— Ты знала? — спросил Фред одними глазами.

— Да, — изобразила я.

Он кивнул и двинулся вверх по лестнице. В подвале оставалось еще с десяток вампиров, в основном из группировки Кристи, сбившихся у дальней стены. Я пошла с Фредом. Лучше выходить в середине. А Райли пусть понимает как хочет.

Перед домом крутились, рассыпая солнечных зайчиков, дискотечно-зеркальные вампиры. Они обалдело рассматривали свои руки и чужие лица. Фред вышел на свет, не сбавляя шага — по-моему, очень храбро с его стороны. А вот Кристи являла собой отличный пример промывки мозгов — не желая верить собственным глазам, до последнего цеплялась за то, что вдолбил нам Райли.

Мы с Фредом встали чуть в стороне от остальных. Он окинул внимательным взглядом сперва себя, потом меня, потом принялся наблюдать за другими. Я вдруг поняла, что Фред, хоть и тихушник, на самом деле очень наблюдательный и склад ума у него почти научный.

Все это время он анализировал слова и поступки Райли. Интересно, к каким выводам пришел?

Райли пришлось загонять на лестницу Кристи силком, а ее свита уже последовала добровольно. Наконец на солнце выбрались все, и большинство веселилось, любуясь собой. Райли согнал всех на последнюю ускоренную тренировку — думаю, прежде всего, чтобы заставить их снова сосредоточиться. Получилось не сразу, но постепенно все осознали, что игры окончены, притихли и ожесточились. Видно было, что мысль о настоящей драке — когда тебе не просто разрешают, а даже велят рвать на части и жечь, — заводит не хуже предвкушения охоты. Заводит таких, как Рауль, Джен или Сара.

Райли повторял план, который вдалбливал отряду последние дни: как только нападем на след желтоглазых, разделяемся на две части и окружаем с флангов. Рауль нападает в лоб, Кристи заходит сбоку. Отличный план, учитывающий наклонности обоих капитанов, вот только вспомнят ли они его в пылу охоты?

Когда через час Райли снова велел всем собраться и выстроил отряд лицом на юг, Фред тут же попятился в противоположную сторону, на север. Я последовала за ним, хотя и не понимала, что он задумал. Остановился он не меньше чем в сотне ярдов, под елями у кромки леса. Никто не заметил нашего ухода. Фред не сводил глаз с Райли, будто проверяя, обратит он на нас внимание или нет.

Райли тем временем держал речь.

— Выступаем сейчас. Вы полны сил и готовы к бою. И жаждете в него вступить. Вы горите огнем. Вы готовы отведать десерт.

Он был прав. Вчерашний пир горой от жажды не уберег. Не знаю, может, мне только показалось, но, по-моему, она накатила даже быстрее и страшнее, чем обычно. Наверное, что-то вроде обратного эффекта от переедания.

— Желтоглазые медленно движутся с юга, подкармливаясь по дороге, чтобы набрать силу, — разъяснял Райли. — *Она* отслеживает их передвижения, так что я в курсе, где искать их клан. *Она* встретит нас там, вместе с Диего. — Райли бросил многозначительный взгляд туда, где я недавно стояла, и на секунду недоуменно нахмурился, — и мы обрушимся на желтоглазых, как цунами. Мы разделаемся с ними в два счета. А потом отпразднуем победу. — Он ухмыльнулся. — Победа за нами, и праздник за нами. Рауль, дай-ка сюда... — Райли властным жестом протянул руку, и Рауль неохотно перебросил ему пакет с рубашкой. Такое чувство, что он пытался застолбить девчонку за собой, прикарманив запах.

— Нюхните все еще по разу. Надо настроиться.

На что? На девчонку? Или на бой?

В этот раз Райли сам обошел с пакетом всех по очереди, как будто хотел лично убедиться, что жажда накрыла всех. И, судя по выражениям лиц, остальных уже начинало, как и меня, припекать. Почуяв запах, все как один скалились и рычали. Можно было и не совать нам его повторно, мы и так ничего не забыли. Наверное, Райли просто решил проверить. От одной мысли об этой девчонке, мой рот наполнился ядом.

— Вы со мной? — проревел Райли.

Все дружно завопили в ответ.

— Порвем их, ребята!

Они снова превратились в стаю барракуд — на этот раз сухопутных.

Фред не двинулся с места, поэтому я осталась стоять тоже, хоть и понимая, что теряю драгоценное время. Если моя задача — перехватить Диего до того, как начнется заварушка, надо быть где-нибудь в первых рядах. Я с тревогой посмотрела вслед отряду. Но я как-никак младше всех — а значит, быстрее.

— Еще минут двадцать Райли обо мне думать не сможет, — сказал Фред таким непринужденным приятельским тоном, будто мы с ним уже миллион раз до этого болтали. — Я засекал время. Даже на большом расстоянии его замутит, если он попытается меня вспомнить.

— Правда? Круто!

— Я тренировался, — с улыбкой ответил Фред. — Отслеживал результаты. Научился делаться совершенно невидимым. Никто не сможет на меня посмотреть, пока я сам того не захочу.

— Я заметила. Так ты не идешь? — догадалась я после секундного раздумья.

Фред покачал головой.

— Конечно, нет. Ясно же, что нас дурят. Я не собираюсь становиться пешкой в игре Райли.

Значит, Фред и сам во всем разобрался.

— Я хотел слинять еще раньше, но решил сперва поговорить с тобой, а удобного случая все никак не представлялось.

— Я тоже с тобой хотела поговорить. По-моему, ты имеешь право узнать правду про солнечный свет. Райли только мозги нам пудрил про «четыре дня в году». Похоже, Шелли, Стив и остальные «сгоревшие» тоже догадались, как оно на самом деле. И с этой битвой тоже не так все просто. Враги у нас, вообще-то, с двух сторон. — Я тараторила в спешке, чувствуя, как поджимает время, как неумолимо движется солнце. Надо поскорее добраться до Диего.

— Ожидаемо, — спокойно ответил Фред. — Но дальше без меня. Поброжу в одиночку, посмотрю мир. То есть я собирался в одиночку, но подумал, может, ты тоже захочешь, за компанию. Со мной тебя никто не тронет. И не выследит.

Я задумалась на секунду. Устоять перед соблазном безопасности было нелегко.

— Мне надо отыскать Диего, — покачала головой я.

Фред задумчиво кивнул.

— Понятно. Знаешь, если ты за него поручишься, можем прихватить и его тоже. Иногда толпой удобнее.

— Да уж, — с жаром подтвердила я, вспомнив, какой беззащитной себя ощущала на дереве рядом с Диего, когда по полю двигались четверо в плащах с капюшонами.

Фред удивленно приподнял бровь.

— Насчет, по крайней мере, одной важной вещи Райли точно врет, — объяснила я. — Будь осторожен. Нельзя, чтобы люди о нас узнали. Есть какая-то компания жутко стремных вампиров, которые приходят ставить на место слишком зарвавшиеся и обнаружившие себя кланы. Я их видела, этих страшных, поверь мне, им лучше не попадаться. Так что днем хоронись, и поаккуратнее, когда охотишься. — Я с тревогой глянула на юг. — Надо мне торопиться.

Фред, помрачнев, размышлял над моими предостережениями.

— Хорошо. Если надумаешь, догони меня. Было бы интересно еще послушать. Буду ждать в Ванкувере в течение дня. Город я знаю. Оставлю тебе след в... — Он на секунду призадумался, а потом хохотнул довольно. — В Райли-парке. По нему меня и отыщешь. Но через двадцать четыре часа я сматываю удочки.

— Я найду Диего и догоню тебя.

— Удачи, Бри.

— Спасибо, Фред. Тебе тоже удачи. Увидимся! — крикнула я уже на бегу.

— Надеюсь! — донеслось мне вслед.

Я мчалась по следу, почти летя над землей, развивая невиданную доселе скорость. Повезло, что они где-то, видимо, притормозили (подозреваю, Райли устроил им разнос), судя по тому, как быстро я их догнала. А может, Райли вспомнил про Фреда и специально остановился поискать нас. Когда я поравнялась с отрядом, они держали ровный темп и, как вчера ночью, соблюдали подобие дисциплины. Я попыталась влиться в ряды, не привлекая внимания, но Райли то и дело оглядывался, проверяя, как там задние. Его взгляд остановился на мне, и он тут же прибавил темп. Решил, что Фред со мной? Больше Райли Фреда не увидит.

Не прошло и пяти минут, как все резко изменилось.

Рауль взял след. И с диким рыком вырвался вперед. Райли так нас накрутил, что от одной крошечной искры тут же вспыхнул фейерверк. Бежавшие рядом с Раулем тоже почуяли запах, и у всех сорвало крышу. После того как Райли всем плешь проел со своим десертом, остальные наставления все тут же, разумеется, забыли. Мы же охотники, а не бойцы. Команда развалилась. Началась гонка за добычей.

Даже мне, знающей сколько и в чем он наврал, почти невозможно было удержаться. Я бежала в хвосте и тоже пересекла след. Свежий. Отчетливый. Девчонка была здесь совсем недавно, такая сладкая! Выпитая вчера кровь придавала сил, но это не имело значения. Осталась только жажда. От нее пекло внутри.

Я по-прежнему держалась позади, стараясь не терять голову. Только на это меня и хватало — чуть отстать, не лезть вперед. Ближе всех ко мне оказался Райли. Он что... тоже специально отстает?

Райли командовал, в основном повторяя одно и то же: «Кристи, обходи! Кругом! Разделитесь! Кристи, Джен! С двух сторон!» Его план атаковать с двух флангов проваливался на глазах.

Нагнав основную группу, Райли схватил Сару за плечо и попытался направить влево. Она огрызнулась. «Обходи!» — крикнул он. Выхватив белобрысого, чье имя я так и не удосужилась узнать, он толкнул его к Саре, которой это тоже не понравилось. Кристи, на секунду очнувшись от охотничьего угара, успела вспомнить, что в наступлении предполагалась стратегия. Метнув вслед Раулю свирепый взгляд, она принялась орать на свою команду.

— Сюда! Быстрее! Обойдем их и доберемся до нее первыми! Пошли!

— Я в авангарде вместе с Раулем, — крикнул Райли, сворачивая.

Я растерялась, но темпа не сбавила. Никакой авангард мне даром не нужен, но в команде Кристи уже начались разборки. Сара зажала голову белобрысого мертвой хваткой. Мерзкий хруст отрывающейся шеи для меня все и решил. Я помчалась догонять Райли, гадая, притормозит ли Сара, чтобы сжечь останки белобрысого, которому нравилось играть в Человека-паука.

Заметив впереди Райли, я пристроилась за ним на расстоянии, дожидаясь, пока он доберется до команды Рауля. Сладкий запах путал мысли, не давая сосредоточиться на важном.

— Рауль! — крикнул Райли.

Рауль заворчал, не оборачиваясь. Он не замечал ничего, кроме сладкого запаха.

— Я иду на подмогу Кристи! Встретимся там! Не теряй настроя!

Я остановилась как вкопанная, не зная, как быть.

Рауль несся вперед, пропустив выкрики Райли мимо ушей. Райли перешел сперва на трусцу, потом на шаг. Мне бы спрятаться, но он бы, наверное, засек меня. Райли с улыбкой обернулся — и его взгляд упал прямо на меня.

— Бри! Я думал, ты с Кристи.

Я промолчала.

— Слышал, там кого-то рвут, так что Кристи я сейчас нужнее, чем Раулю, — торопливо пояснил он.

— Ты... нас оставляешь?

Выражение его лица изменилось. Я как будто научилась считывать по нему перемены в коварных планах Райли. В его расширенных глазах плеснулась тревога.

— Я беспокоюсь, Бри. *Она* говорила, что встретит нас, поможет, но я пока не видел *ее* следа. Что-то не так. Надо *ее* найти.

— Как же ты *ее* найдешь, если Рауль еще не добрался до желтоглазых? — возразила я.

— Надо выяснить, что происходит. — Отчаяние в его голосе казалось неподдельным. — *Она* мне нужна. Я не подписывался вести бой в одиночку!

— Но ведь остальные...

— Бри, мне надо *ее* найти! Срочно! Вы все равно задавите желтоглазых массой, вас много. А я вернусь как только смогу.

Такая искренность в голосе. Я в раздумье оглянулась туда, откуда мы пришли. Фред уже должен быть на полпути к Ванкуверу. Райли о нем пока даже не заикнулся. Может, это дар Фреда до сих пор действует?

— Там Диего, Бри, — настойчиво проговорил Райли. — Он пойдет в бой в первых рядах. Разве ты его не почуяла? Ты же рядом пробегала.

Я в полном замешательстве помотала головой.

— Диего был тут?

— Он сейчас с Раулем. Если поспешишь, поможешь ему выбраться живым.

Мы пристально посмотрели друг другу в глаза, а потом я обернулась на юг, где скрылся Рауль.

— Молодец, — одобрил Райли. — Я отыщу *ее*, и мы придем к вам на подмогу. Вы справитесь, ребята! Может, когда ты туда прибежишь, там уже все и закончится.

Он метнулся в сторону от нашей изначальной тропы. Я стиснула зубы — надо же, какой осторожный. Врет до победного.

Но у меня особого выбора не было. Я рванула бешеным спринтом на юг. Надо отыскать Диего. Утащить его силой, если придется. Мы догоним Фреда. Или пустимся в бега сами. Надо сматываться. Я расскажу Диего, как Райли пудрил нам мозги. Он сам убедится, что Райли послал нас на бой, не собираясь принимать в нем никакого участия. Значит, помогать ему больше незачем.

Я наткнулась на человеческий след, потом на след Рауля. Следов Диего так и не было. Может, я слишком быстро бегу? Или все забивает сладкий человеческий запах? Половину мыслей занимала эта странная, подрывная по сути, охота: девчонку-то мы, конечно, найдем, но какая после этого сплоченность? Мы же друг друга в клочья порвем в драке за «десерт».

Впереди тишина взорвалась скрежетом, воплями и рычанием. Началось! Я опоздала, не смогла перехватить Диего... Я прибавила ходу. Может, еще удастся его спасти.

Потянуло дымом — приторный густой запах горящего вампира. Шум схватки усилился. Может, все уже кончено? Может, наши празднуют победу и Диего вместе с ними?

Прорвавшись сквозь густую завесу дыма, я выскочила из леса на большую заросшую травой поляну. Перемахнув на бегу через какой-то валун, я только через секунду сообразила, что это не камень, а обезглавленное тело.

Мой взгляд заметался по поляне. Все было усеяно ошметками вампирских трупов, к солнечному небу тянулся сизый дым огромного костра. В клубящейся пелене плясали разноцветные блестящие искры от дерущихся и снующих по поляне вампиров под неумолкающие вопли и скрежет раздираемых на части.

Я искала только одно — черные кудри Диего. Таких темных волос здесь больше не было ни у кого. Попался какой-то вампир с темно-каштановой, почти черной шевелюрой, но он намного крупнее Диего. На моих глазах он оторвал голову Кевину и швырнул в костер, а потом набросился на кого-то со спины. На Джен? Вот еще кто-то с прямыми черными волосами, но этот, наоборот, слишком мал для Диего. Так быстро носится, не поймешь, мальчик это или девочка.

Я снова забегала глазами по поляне, понимая, что торчу на самом виду. Вглядывалась в лица. Маловато вампиров, даже считая погибших. Никого из команды Кристи не видно. Многие, судя по всему, уже в костре. Большинство тех, кто еще держался на ногах, были незнакомые. Я встретилась взглядом с обернувшимся на меня светловолосым вампиром, его глаза вспыхнули янтарем в солнечном свете.

Мы проигрываем. Плохо.

Я попятилась обратно к лесу — не слишком быстро, потому что продолжала высматривать Диего. Но его не было. И никаких признаков, что появлялся. Ни намека на его запах, хотя запахи почти всех из команды Рауля и многих из незнакомого клана я различила. Пришлось заставить себя присмотреться к ошметкам. Ничего похожего на Диего. Я узнала бы даже палец.

Тогда я развернулась и помчалась в лес, осознав наконец, что насчет Диего Райли тоже соврал.

А раз его здесь не было, значит, он давно мертв. Догадка почему-то не вызвала изумления, словно зрела уже не первый день. С тех самых пор, как Диего не вошел в подвальную дверь. Его убили еще тогда.

Не успела я добежать до опушки леса, как сзади меня двинуло чем-то вроде чугунного шара, которым ломают здания, и швырнуло на землю. Чья-то рука ухватила меня за подбородок.

— Пожалуйста! — всхлипнула я. Имелось в виду «пожалуйста, убейте меня сразу».

Рука медлила. Я не сопротивлялась, хотя внутри все кричало, что надо кусаться, царапаться и рвать врага в клочья. Но остатки разума возражали — бесполезно. Насчет слабых и немощных стариков Райли тоже наврал — мы были обречены с самого начала. Но даже если бы мы могли бороться на равных, все равно я бы не шевельнулась. Диего нет. Эта мысль убивала волю к сопротивлению.

И вдруг я почувствовала, что лечу. Впечаталась в ближайшее дерево и шлепнулась на землю. Надо было вскакивать и бежать, но Диего ведь мертв... От этого никуда не деться.

Готовый наброситься в любой момент, на меня пристально смотрел тот светловолосый, которого я заметила на поляне. Явно отличный боец, куда опытнее Райли. Но почему-то он не спешил бросаться. В нем не было того бешенства, как у Рауля или Кристи. Он хорошо владел собой.

— Пожалуйста, — снова взмолилась я, надеясь покончить со всем поскорее. — Я не хочу драться.

Он как-то переменился в лице, хотя пружинистая поза осталась прежней. Посмотрел на меня каким-то непонятным взглядом. Одновременно мудрым и... каким-то еще. Понимающим? Жалостливым, точно.

— Я тоже не хочу, девочка, — добродушно и спокойно отозвался он. — Мы только защищаемся.

Его странные желтые глаза светились такой искренностью, что я удивилась, как вообще могла поверить Райли. Мне стало... стыдно. Может, этот клан и не собирался нападать на нас в Сиэтле? Неужели в том, что говорил Райли, не было ни слова правды?

— Мы не знали, — поспешила объяснить я, сгорая от стыда. — Райли все наврал. Простите.

Он прислушался, и я вдруг поняла, что на поле боя наступила тишина. Все закончилось.

Если бы у меня еще оставались сомнения насчет того, кто победил, они бы развеялись, когда через секунду к этому светловолосому подбежала желтоглазая женщина с вьющимися каштановыми волосами.

— Карлайл, ты что? — удивилась она, заметив меня.

— Она не хочет драться.

Женщина коснулась его руки. Он по-прежнему стоял сжавшись, как перед броском.

— Она так перепугана, Карлайл. Может быть...

Светловолосый Карлайл обернулся к ней, слегка распрямляясь, хотя видно было, что он еще настороже.

— Мы тебя не тронем, — сказала женщина. Голос у нее был мягкий, ласковый. — И сражаться с вами мы тоже не хотели.

— Простите... — прошептала я снова.

В мыслях была полная каша. Диего мертв, и это самое главное, самое невыносимое. И остальное — битва закончена, наш клан проиграл, враги победили. Но в моем клане все, кого ни возьми, только повеселились бы, глядя, как меня жгут, а враги почему-то разговаривают ласково, хотя и не должны. Мало того, с этими двумя незнакомцами мне отчего-то было спокойнее, чем с Раулем и Кристи. Мне стало легче, оттого что Рауля и Кристи больше нет. От всего этого голова шла кругом.

— Девочка, — спросил Карлайл, — ты готова сдаться? Если не будешь ни на кого нападать, обещаем тебя тоже не трогать.

И я ему поверила.

— Да, — прошептала я. — Сдаюсь. Нападать не буду.

Он ободряюще протянул мне руку.

— Пойдем. Сейчас мы с родными посовещаемся, и тебе придется ответить на несколько вопросов. Ответишь честно — бояться нечего.

Я медленно поднялась, стараясь не делать резких движений, чтобы не подумали, будто я сейчас кинусь.

— Карлайл! — позвал мужской голос.

Подошел еще один желтоглазый. Чувство безопасности, охватившее меня рядом с этими двумя, при виде него тут же испарилось.

Он был тоже светловолосый, как и первый, но выше и мускулистее. Кожу покрывали многочисленные шрамы, в основном на шее и подбородке. Все они, кроме нескольких свежих царапин на руке, явно остались от каких-то давних драк. В скольких переделках он побывал? Мне и представить сложно. И из всех вышел победителем. Янтарно-карие глаза горели огнем, во всей позе чувствовалась едва сдерживаемая мощь разъяренного льва.

Увидев меня, он сжался, изготовился прыгнуть...

— Джаспер! — осадил его Карлайл.

Джаспер тут же выпрямился и широко открытыми глазами уставился на Карлайла.

— Что здесь происходит?

— Она не будет драться. Она сдалась.

Покрытый шрамами лоб помрачнел, а меня вдруг охватила горькая досада — на что, я сама не понимала.

— Карлайл, я... — Он запнулся, но продолжил: — Прости, но это невозможно. Сейчас сюда придут Вольтури, а у нас тут эта новорожденная. Ты понимаешь, чем это нам грозит?

Я не улавливала, о чем он, но главную мысль ухватила. Он хочет меня убить.

— Джаспер, она всего лишь ребенок, — возразила женщина. — Мы не можем ее вот так просто взять и прикончить!

Странно было слышать от нее такие рассуждения: как будто мы люди и убийство — это что-то плохое. Такое, чего нельзя допускать.

— Эсми, на кону жизнь семьи. Они не должны подумать, что это мы нарушили закон.

Женщина, Эсми, встала между мной и тем, кто собирался меня убить. При этом, что самое невероятное, повернувшись ко мне спиной.

Карлайл бросил на меня тревожный взгляд. Видно было, как дорога ему эта женщина. Я бы тоже так смотрела на любого, кто встанет у Диего за спиной. Я постаралась всем своим видом выразить смирение и покорность.

— Нет. Я не позволю.

— Джаспер, мне кажется, надо рискнуть, — медленно проговорил он. — Мы не Вольтури. Мы соблюдаем их правила, но не спешим отнимать чужие жизни. Мы им все объясним.

— Они могут подумать, что мы сами насоздавали новых вампиров — чтобы укрепить позиции.

— Но ведь это не так. А даже если бы и создали, здесь никакой утечки не было, только в Сиэтле. Новых вампиров создавать не запрещается, главное — держать их под контролем.

— Это слишком опасно.

Карлайл осторожно тронул Джаспера за плечо.

— Джаспер, мы не можем убить этого ребенка.

Джаспер сверкнул глазами на светловолосого с добрым взглядом, и я вдруг рассердилась. Неужели он посмеет обидеть этого справедливого вампира и женщину, которую тот любит? Но Джаспер вздохнул, и я поняла, что все в порядке. Злость тут же улетучилась.

— Мне это не нравится, — сказал он, но уже спокойнее. — Давайте я хотя бы сам ее отведу. А то вы же оба не привыкли обращаться с теми, кто столько времени творил что вздумается.

— Хорошо, Джаспер, — ответила женщина. — Только помягче.

Джаспер закатил глаза.

— Нам надо к остальным. Элис говорит, времени мало осталось.

Карлайл, кивнув, протянул руку Эсми, и они побежали обратно на поле битвы.

— Эй ты, там! — снова запылал гневом Джаспер. — Пойдешь с нами. Одно неверное движение, и я тебя скручу.

Под его грозным взглядом во мне снова проснулась злость, захотелось зарычать и оскалиться, но что-то подсказывало: такого повода он и ждет.

Джаспер остановился, будто ему пришла в голову неожиданная мысль.

— Закрой глаза, — велел он.

Я не послушалась. Он что, решил все-таки меня убить?

— Кому сказано?

Скрежетнув зубами, я повиновалась. Теперь я стала в два раза беспомощнее, чем казалась себе до этого.

— Иди на мой голос, глаза не открывай. Откроешь — пеняй на себя. Ясно?

Я кивнула, гадая, что такое мне там нельзя видеть. И одновременно пришло облегчение: раз он прячет от меня эту тайну, значит, вряд ли собирается убивать.

— Сюда.

Я медленно двинулась за ним, стараясь ничем его не провоцировать. Он вел осторожно — по крайней мере, в деревья лбом не впиливал. Я почувствовала, когда мы вышли на поляну: звук поменялся, и ветер задул по-другому, и усилился запах гари от костра, где горел мой клан. Теплые солнечные лучи коснулись лица, а под опущенными веками заплясали отраженные от кожи сияющие искры.

Глухой треск костра слышался все ближе, на меня повеяло дымом. Я понимала, что Джаспер мог бы убить меня уже сто раз, но все равно занервничала, очутившись совсем рядом с костром.

— Сядь тут. Глаза не открывай.

Земля нагрелась от солнца и огня. Я застыла неподвижно, стараясь выглядеть как можно безобиднее, но под пристальным гневным взглядом Джаспера во мне, наоборот, закипала злоба. Я не чувствовала ненависти к этим вампирам, которые, кажется, действительно только защищались, но где-то на краю сознания шевельнулась непонятная ярость. Как будто даже не во мне, а снаружи, словно долетела отголоском только что отгремевшей битвы.

Однако злость не отупляла, потому что меня затопила печаль — целиком. Все мои мысли занимал Диего, я невольно гадала, как же он умирал.

Совершенно ясно, что добровольно он бы не выдал Райли наших с ним секретов — тех самых, благодаря которым я еще как-то верила

Райли, пока не стало слишком поздно. У меня перед глазами встало лицо Райли — бесстрастное, холодное, когда он угрожал наказать любого, кто ослушается. В голове снова пронеслись эти жуткие подробности: «Буду держать вас, пока *она* отрывает вам руки, а потом медленно-медленно сжигает пальцы, уши, губы, языки и прочие лишние причиндалы».

Теперь я поняла, что он описывал смерть Диего.

Вот тогда, видимо, в Райли что-то переменилось. Издеваясь над Диего, он очерствел, ожесточился. Только в одном он, кажется, не соврал: он действительно дорожил Диего больше, чем остальными. Любил его, можно сказать. И все равно позволил создательнице его мучить. Даже наверняка помогал. Они убили Диего вдвоем.

Я попыталась представить, сколько понадобилось бы пытать меня, чтобы заставить предать Диего. Наверное, долго. Думаю, и Диего они пытали не меньше, раз он меня выдал.

Меня замутило. Я гнала из головы образ кричащего от боли Диего, но картинка не хотела пропадать.

И тут вопль пронесся над поляной.

У меня задрожали веки, но Джаспер угрожающе рыкнул, и я поспешно зажмурилась. Ничего не успела увидеть, кроме густого сизого дыма.

До меня донеслись окрики, а потом какой-то странный звериный вой. Громкий и протяжный. Я не представляла, как нужно распахнуть рот, чтобы исторгнуть такое, и от этого звук делался еще страшнее. Эти желтоглазые совсем не похожи на нас. На меня то есть, учитывая, что я, кажется, осталась тут одна. Райли с создательницей давно дали деру.

Вокруг сыпали незнакомыми именами — Джейкоб, Ли, Сэм. Я разбирала в этом общем вое отдельные голоса. Значит, про численность клана Райли нам тоже наврал.

Разные оттенки воя слились в один — пронзительный, нечеловеческий, полный боли и муки, от него сводило челюсть. Перед глазами стояло лицо Диего, и казалось, что это он кричит в агонии.

Сквозь общий гвалт и вой прорезался голос Карлайла. Он умолял, чтобы его пустили на что-то взглянуть. «Дайте я посмотрю, пожалуйста. Я могу помочь». Ему вроде бы никто не возражал, но голос у него почему-то был такой, словно он исчерпал все аргументы.

А потом вой набрал новые обороты, Карлайл вдруг начал с жаром кого-то благодарить и сквозь завывание послышались глухие шаги множества ног. Тяжелая приближающаяся поступь.

Прислушавшись, я уловила что-то совершенно неожиданное и невозможное. Сбивчивое дыхание — никогда не слышала, чтобы в нашем клане кто-то так дышал — и какие-то ритмичные глухие удары. Словно биение сердца. Только явно не человеческого. Человеческое я умела отличать. Я потянула носом, но ветер дул с другой стороны, поэтому мне достался только дым.

Тут безо всякого предупреждения мне зажали ладонями оба уха.

Я в панике приоткрыла глаза, дернувшись в попытке вырваться, но наткнулась на угрожающий взгляд Джаспера, приблизившегося ко мне вплотную.

— Не смей! — велел он, рывком усаживая меня обратно. Слышно было плохо, и я только теперь поняла, что это его ладони плотно припечатаны к моим ушам. — Закрой глаза! — скомандовал он снова, думаю, нормальным голосом, но до меня он донесся как сквозь вату.

Я попыталась успокоиться и закрыла глаза. Значит, слышать мне тоже не все позволено. Что ж, как-нибудь перетерплю, не помру. Если не помру благодаря тому, что потерплю.

На секунду перед внутренним взором мелькнуло лицо Фреда. Он сказал, что будет ждать в течение суток. Интересно, сдержит ли он слово? Отчаянно хочется рассказать ему про желтоглазых и все остальное, о чем мы даже не догадывались. Про весь этот совершенно незнакомый мир.

Было бы интересно по нему побродить. Особенно с кем-то, кто скроет тебя от ненужных глаз и обеспечит безопасность.

Но Диего нет. Он не сможет отправиться со мной на поиски Фреда. От этого мысли о будущем слегка горчили.

До меня доносились какие-то звуки извне, в основном обрывки голосов и вой. Странные частые удары я уже разобрать не могла, и они остались загадкой.

Слова Карлайла через несколько минут я, правда, различила: «Теперь вам надо... — потом слишком тихо, не расслышала, — ...отсюда. Мы бы помогли, чем сумели, но нам нельзя уходить».

В ответ раздалось рычание, но почему-то совсем не грозное. Вой перешел в тихое поскуливание, которое постепенно начало стихать, будто удаляясь.

На несколько минут воцарилась тишина. Донеслись приглушенные голоса — Карлайл, Эсми и еще незнакомые. Жаль, что даже унюхать ничего нельзя. Лишившись и слуха, и зрения, хотелось воспользоваться хоть каким-то чувством. Но кроме кошмарного приторного дыма не пахло ничем.

— Еще пять минут, — произнес чей-то новый голос — звонче и выше остальных, отчетливый. Явно девичий. — И Белла откроет глаза через тридцать семь секунд. Я уверена, что она уже сейчас нас слышит.

Я озадачилась. Что, тут еще кого-то кроме меня заставляют зажмуриваться? Или она думает, меня зовут Белла? Я ведь никому не называла своего имени. Я изо всех сил принюхалась еще раз.

Снова приглушенное бормотание. Один голос какой-то странный, совсем не звонкий.

Хотя кто его знает. Ладони Джаспера заглушали надежно.

— Три минуты! — отсчитывал высокий звонкий голос.

Джаспер убрал ладони.

— Теперь лучше открой глаза, — велел он, отступив на несколько шагов. Его тон меня насторожил. Я торопливо оглянулась, пытаясь понять, откуда ждать угрозы.

Весь горизонт был затянут черным дымом. Рядом хмурился Джаспер. Стиснув зубы, он смотрел на меня как-то... с опаской? Его пугала не я сама, а что-то со мной связанное. Я вспомнила, как он говорил про каких-то Вольтури, от которых клану из-за меня придется несладко. Интересно, что такое Вольтури? Чего вообще может бояться этот матерый покрытый шрамами вампир?

Позади Джаспера стояли, рассредоточившись неплотной шеренгой, еще четверо. Я узнала Эсми. Остальные незнакомые: высокая блондинка, миниатюрная брюнетка и темноволосый гигант — такой огромный, что от одного вида страшно делается. Это он на моих глазах разорвал Кевина. На секунду я представила, как он хватает Рауля. Картина оказалась неожиданно сладостной.

За спиной этого великана я разглядела еще троих, но что они там делают, не разобрала, он загораживал. Карлайл возился над чем-то, стоя на коленях, рядом с ним какой-то бронзоволосый. Перед ними кто-то лежал на земле, но мне было видно только ноги в джинсах и небольшого размера коричневых ботинках. Либо девушка, либо подросток. Наверное, собирают по кускам кого-то из своих.

Значит, всего желтоглазых восемь, плюс еще те непонятные воюющие вампиры — в этом вое я тоже насчитала голосов восемь. Итого шестнадцать, по меньшей мере. В два раза больше, чем обещал Райли.

Я поймала себя на страстном желании, чтобы черные плащи догнали Райли и показали, что к чему.

Лежащая на земле вампирка начала медленно подниматься — неуклюже и заторможенно, словно какой-нибудь недотепа человек.

Ветер переменился, дым понесло прямо на нас с Джаспером. На секунду все, кроме него, пропали из вида. И хотя глаза у меня оставались открытыми, почему-то опять вдруг стало тревожно. Как будто я впитала тревогу, сочащуюся из того, кто стоял рядом.

Еще через миг ветер метнулся обратно, открыв мне обзор и вернув запахи.

Джаспер, сердито зашипев, заметил, что я привстала, и толкнул меня обратно на землю.

Это она! Та самая девчонка, чей след привел меня сюда. На чей запах я нацеливалась всем существом. Сладкий, влажный запах самой вкусной на свете крови. Рот и горло запылали, словно в огне.

Я отчаянно пыталась собрать остатки разума — вспомнить хотя бы, что Джаспер только и ждет, пока я вскочу, чтобы меня прикончить, — но получалось плохо. Я будто разрывалась пополам, стараясь удержаться.

Человеческая девчонка по имени Белла уставилась на меня испуганными карими глазами. Смотреть на нее было еще хуже. Я видела, как пульсирует кровь под тонкой кожей. Я пыталась отвести взгляд, но глаза, бешено вращаясь, упорно косили в ту сторону.

Бронзоволосый пояснил ей вполголоса:

— Она сдалась. В жизни не видел ничего подобного. Такое могло прийти в голову только Карлайлу. Джасперу это не нравится.

Наверное, Карлайл с ним поговорил, пока Джаспер зажимал мне уши.

Бронзоволосый стоял, обнимая девчонку за талию, а она стиснула руки у него на груди. Ее горло было всего в нескольких дюймах от его зубов, но ее это совершенно не пугало. И он держал ее не как добычу. Когда я пыталась уложить в голове, как вампирский клан может завести себе ручную человеческую девчонку, я совсем не такое себе представляла. Будь она вампиром, я бы, глядя на них, решила, что они пара.

— Джаспер не ранен? — прошептала девчонка.

— Нет, просто яд жжет, — ответил вампир.

— Его укусили? — перепугалась она.

Что это за девчонка? Почему они приняли ее к себе? Почему до сих пор не убили? Почему она так спокойно с ними держится, будто не боится совсем? Вроде бы она для них своя, но почему тогда так удивляется очевидным вещам? Конечно, Джаспера укусили. Он ведь только что дрался — и растерзал весь мой клан. Эта девчонка вообще в курсе, кто мы такие?

Мама, как же в горле печет! Я гнала от себя мысли о том, чтобы залить пожар девчонкиной кровью, но ветер нес ее запах прямо мне в нос. Поздно сопротивляться, я почуяла добычу, за которой охотилась, и теперь уже ничего не изменить...

— Джаспер пытался быть во всех местах сразу, — объяснил девчонке бронзоволосый. — Отбирал работу у Элис. — Он покачал головой, оглянувшись на миниатюрную брюнетку. — Элис ничья помощь не требуется.

Брюнетка Элис сверкнула глазами на Джаспера.

— Дурачок, нашел кого защищать! — пропела она звонким сопрано.

Джаспер ответил ей полуулыбкой, кажется, позабыв на секунду о моем существовании.

Я из последних сил боролась с инстинктом, который велел не зевать и кинуться на девчонку, раз подвернулась возможность. Буквально один прыжок — и ее теплая кровь, которая так сладко пульсирует в человеческом сердце, потушит пожар в моем горле. Она совсем близко...

Бронзоволосый осадил меня свирепым взглядом, говорящим, что я умру, если только дернусь, но адское пекло в горле говорило другое: если не попробую, я умру. Я завопила, не в силах выносить эту боль.

Джаспер рыкнул на меня, и я попыталась удержаться, но запах ее крови поднимал меня с земли, словно гигантская рука. Я еще никогда не пробовала, взяв след, отказаться от добычи. Я вцепилась ногтями в землю, не зная, за что еще ухватиться. Джаспер навис надо мной, но, даже понимая, что через две секунды погибну, я не могла ничего поделать с жаждой.

И тут рядом с Джаспером вырос Карлайл и придержал его за руку. Он посмотрел на меня спокойным добрым взглядом.

— Разве ты передумала? Мы не хотим тебя убивать, но нам придется это сделать, если ты не в состоянии держать себя в руках.

— Как у вас получается? — почти умоляюще простонала я. Неужели его самого не печет изнутри? — Я хочу ее! — Я впилась глазами в девчонку, мысленно сокращая расстояние между нами. Пальцы заскребли в отчаянии по каменистой земле.

— Надо учиться себя сдерживать, — сурово сказал Карлайл. — Управлять собой. Это вполне возможно, и только в этом сейчас твое спасение.

Если для спасения жизни мне надо перестать обращать внимание на эту девчонку и относиться к ней так же, как эти желтоглазые, то я, считай, уже труп. Я не выдержу пытки огнем. Да и желание выжить перестало быть главным. Умирать не хотелось, боли не хотелось, но какой смысл? Остальные все равно мертвы. Диего нет в живых уже несколько дней.

Его имя вертелось у меня на языке. Я чуть не прошептала его вслух. Но вместо этого сжала голову руками и попыталась отвлечься на что-нибудь не такое мучительное. Не думать про девчонку, не думать про Диего. Получалось плохо.

— Может, нам лучше отойти подальше? — прошелестела девчонка, сбивая мой настрой. Взгляд тут же метнулся к ней. Такая тонкая и нежная кожа... На шее пульсирует жилка.

— Мы должны остаться здесь, — ответил вампир, к которому она прижималась. — Они уже подходят к северному краю поляны.

Они? Я обернулась на север, но там только дым стелился. Он имел в виду Райли и создательницу? Внутри плеснулась паника, а потом вдруг прорезалась крошечная надежда. Что они с Райли смогут против этих вампиров, которые перебили всех наших? Ничего ведь не смогут? Даже если эти воющие ушли, один Джаспер, судя по его виду, справится с ними двумя как нечего делать.

Или он говорил про тех непонятных Вольтури?

Ветер снова принялся дразнить меня запахом девчонки, и мысли разбежались. Я сверкнула на нее голодными глазами.

Она выдержала мой взгляд, но смотрела совсем не так, как я себе представляла. Ее, кажется, не пугали ни обнаженный оскал, ни дрожь, колотившая меня, когда я еле сдерживалась, чтобы на нее не броситься. Она смотрела завороженно. Как будто хотела заговорить со мной — задать какой-то терзающий ее вопрос.

Но тут Карлайл и Джаспер попятились от костра — и от меня, — смыкая ряды с остальными и с девчонкой. Они все глядели куда-то мимо меня, всматриваясь в сизую завесу. Похоже, то, чего они боялись, ближе ко мне, чем к ним. Я забилась поглубже в дым, не обращая внимания на пляшущие языки пламени. Может, пора драпать? Достаточно отвлеклись или заметят? А куда бежать? Искать Фреда? Одной? Или выследить Райли и заставить его заплатить за смерть Диего?

Пока я раздумывала, упиваясь этой идеей, момент был упущен. С севера донеслись шорохи, и я поняла, что зажата между желтоглазыми и непонятной подступающей опасностью.

— Хм, — пробормотал чей-то мертвенный голос из клубов дыма.

Я узнала этот голос с первого и единственного звука и, если бы безотчетный ужас не пригвоздил меня к земле, рванула бы без оглядки.

Темные плащи.

Что это значит? Сейчас начнется еще одна битва? Ведь плащи хотели, чтобы создательница разгромила желтоглазых. Но *она* проиграла. Что теперь, они *ее* убьют? Или сами прикончат Карлайла, Эсми и остальных? Будь выбор за мной, я бы не сомневалась, чьей смерти пожелать, и уж точно не тех, кто меня схватил.

Темные плащи просочились сквозь пелену дыма навстречу желтоглазым. В мою сторону никто даже не взглянул. Я сидела не шевелясь.

Они пришли вчетвером, как в прошлый раз. Но то, что желтоглазых было семь, погоды не делало. Они смотрели на этих, в черных плащах, с такой же опаской, как создательница и Райли. Капюшоны нагоняли ужас — чем, я не понимала, но чувствовала. Это — каратели, и победа всегда за ними.

— Добро пожаловать, Джейн, — произнес желтоглазый, обнимавший девчонку.

Они знакомы. Но дружелюбия в голосе бронзоволосого я не услышала — хотя подобострастия и униженности, как у Райли, или злобного страха, как у создательницы, в нем тоже не прозвучало. Только холодная вежливость, никакого удивления. Значит, эти в плащах и есть Вольтури?

Маленькая вампирка, возглавлявшая отряд темных плащей, — судя по всему, Джейн, — медленно обвела взглядом семерых желтоглазых и девчонку, а потом обернулась ко мне. Я успела разглядеть ее лицо. Младше меня — но при этом явно живет дольше. Глаза у нее были бархатистого бордового оттенка. Понимая, что деться от ее взгляда некуда, я уткнулась в колени и накрыла голову руками. Может, поняв, что я не собираюсь сопротивляться, Джейн поступит со мной так же, как Карлайл? Хотя особой надежды я не питала.

— Это еще что? — в мертвенном голосе Джейн проступило легкое недовольство.

— Она сдалась, — объяснил бронзоволосый.

— Сдалась? — изумилась Джейн.

Я высунулась украдкой и заметила, что темные плащи переглядываются. Бронзоволосый говорил, что в жизни не видел, чтобы кто-то сдавался. Наверное, эти, в плащах, тоже.

— Карлайл дал ей выбор, — ответил бронзоволосый. Почему-то от лица желтоглазых выступал он, хотя я думала, главный у них Карлайл.

— Для тех, кто нарушает правила, никакого выбора быть не может. — Голос Джейн снова стал мертвенно-равнодушным.

Я похолодела до самых костей, но паники уже не испытывала. Чему быть, того не миновать.

— Все в ваших руках, — мягко возразил Карлайл. — Поскольку она не стала нападать на нас, я не видел необходимости в том, чтобы уничтожить девочку. Ее ничему не научили.

В его ровном тоне мне почудилась почти что мольба. Но, как он сам сказал, решать не ему.

— Это не имеет значения, — подтвердила Джейн.

— Как скажешь.

Джейн посмотрела на Карлайла, в ее взгляде была и досада и замешательство. Но тут же мотнула головой, и лицо ее снова сделалось непроницаемым.

— Аро надеялся, что мы доберемся до ваших краев и увидим тебя, Карлайл. Он шлет тебе привет.

— Буду очень благодарен, если ты передашь и ему привет от меня, — ответил Карлайл.

— Разумеется. — Джейн, едва заметно улыбнувшись, снова посмотрела на меня. — Похоже, сегодня вы сделали за нас нашу работу... в основном. Чисто из профессионального любопытства, сколько всего их было? В Сиэтле они здорово наследили.

Работа, профессия. Значит, я не ошиблась, они действительно профессиональные каратели. А раз есть каратели, должен быть и закон. Карлайл говорил: «Мы соблюдаем их правила» — и еще: «Новых вампиров создавать не запрещается, главное — держать их под контролем». Райли и создательница тогда испугались, но не особенно удивились, увидев этих, в плащах, этих Вольтури. Они знали закон и понимали, что идут на преступление. Почему же они нам не сказали? И ведь Вольтури не все здесь, есть еще какой-то Аро, а может, и другие. Их наверняка очень много, иначе как они держат всех в страхе?

— Восемнадцать, включая эту девочку, — ответил Карлайл на заданный Джейн вопрос.

Четверо в плащах едва слышно о чем-то забормотали между собой.

— Восемнадцать? — недоверчиво переспросила Джейн.

Создательница не называла Джейн точное число. Правда она удивлена или притворяется?

— Совсем зеленые, — заметил Карлайл. — Ничего не умели.

Зеленые и в полном неведении. Спасибо, Райли! Я начала осознавать, как мы выглядим в глазах этих старших. Джаспер назвал меня новорожденной. Младенец, значит.

— Все новички? — вскинулась Джейн. — Тогда кто же их создал?

Можно подумать, их друг другу не представили. Эта Джейн — врунья еще похлеще Райли, гладенько так, не подкопаешься.

— Ее звали Виктория, — ответил бронзоволосый.

Откуда он знает? Даже я не знала. Хотя Райли ведь говорил, что у них в клане есть телепат. Это он их предупредил? Или Райли наврал и об этом?

— Звали? — переспросила Джейн.

Бронзоволосый кивком показал на восток. Я глянула. Над склоном клубилось облако густого сиреневого дыма.

Звали. Меня охватило ликование, как от картины, где здоровяк раздирал Рауля в клочья. Только в сто раз сильнее.

— То есть Виктория, — медленно проговорила Джейн, — в эти восемнадцать не входит?

— Нет, — подтвердил бронзоволосый. — С ней был еще один. Не такой зеленый, как девчонка у костра, но все же не старше года.

Райли. Мстительное ликование усилилось. Если — ладно, пусть будет «когда» — я сегодня умру, за мной, по крайней мере, не останется долгов. Диего отмщен. Я едва сдержала улыбку.

— Двадцать! — выдохнула Джейн. Либо такого даже она не ожидала, либо по ней Голливуд плачет. — И кто же справился с создательницей?

— Я, — холодно ответил бронзоволосый.

Кем бы этот вампир ни был, пусть даже он держит дома человеческую девчонку и не ест, он мой друг навеки. Даже если это он меня и прикончит в итоге, все равно — я перед ним в долгу.

Джейн, сощурившись, посмотрела на меня.

— Ну-ка, ты! Имя!

Я ведь для нее все равно труп. Так зачем я буду подчиняться этой обманщице? Я только сверкнула глазами в ответ.

Джейн улыбнулась — ясной счастливой улыбкой невинного младенца, и меня швырнуло в огонь. Я как будто перенеслась в ту самую жуткую в своей жизни ночь. Огонь разлился по всем моим венам, полыхал на каждом дюйме кожи, вгрызался в мозг. Меня как будто сунули в самый жар погребального костра, где горел мой клан, в самое пекло. В моем теле не осталось ни единой клеточки, не испепеленной невыносимой, жгучей болью. В ушах звенело так, что я едва расслышала собственный крик.

— Имя, — повторила Джейн, и пламя стихло. Просто улетучилось, как будто я сама его придумала.

— Бри, — поспешно выпалила я, хватая воздух ртом, хотя боль уже пропала.

Джейн снова улыбнулась, и пламя забушевало опять. Сколько боли придется вынести, прежде чем я от нее умру? Вопли доносились как будто со стороны, вроде и не я кричу. Почему никто не оторвет мне голову? Карлайл ведь добрый, неужели не сжалится? Или кто там у них умеет мысли читать? Пусть прочтут и покончат уже со мной.

— Она скажет все, что ты хочешь узнать, — прорычал бронзоволосый. — Нет необходимости ее мучить.

Боль снова пропала, будто Джейн щелкнула выключателем. Я поняла, что лежу на земле ничком, задыхаясь, словно мне не хватает воздуха.

— Знаю, — усмехнулась Джейн. — Бри?

Я дернулась, услышав свое имя, но в этот раз обошлось без боли.

— Правду ли он сказал? Вас было двадцать?

— Девятнадцать или двадцать, а может, больше, — затараторила я. — Не знаю! Сара и еще одна, не знаю, как ее звали, они по дороге подрались...

Я сжалась, ожидая нового приступа боли в наказание за неточный ответ, но Джейн продолжала:

— А эта Виктория — она вас создала?

— Не знаю, — с опаской ответила я. — Райли никогда не называл ее по имени. Я не видела, что случилось той ночью... было темно и больно! — Я вздрогнула. — Он не хотел, чтобы мы думали о ней. Говорил, что наши мысли могут подслушать...

Джейн метнула короткий взгляд на бронзоволосого и снова повернулась ко мне.

— Расскажи мне о Райли. Зачем он привел вас сюда?

Я поспешно принялась пересказывать ту чушь, которой пудрил нам мозги Райли.

— Райли сказал, что мы должны уничтожить этих странных желтоглазых. Сказал, это будет совсем не трудно. Сказал, что город принадлежит им и они придут посчитаться с нами. А когда мы с ними расправимся, то вся кровь будет наша. И он дал нам ее запах. — Я показала на девчонку. — Райли сказал, что она будет с теми, кто нам нужен, и именно так мы их узнаем. И разрешил взять ее первому, кто до нее доберется.

— Похоже, Райли недооценил сложность задачи, — поддела Джейн.

Кажется, мой рассказ ее удовлетворил. Меня вдруг осенило: она рада, что Райли не рассказал ни мне, ни другим про ее краткий визит к нашей создательнице, Виктории. Она ведь именно такое впечатление пыталась создать у желтоглазых — что ни сама Джейн, ни Вольтури в темных плащах тут никаким боком не замешаны. Ладно, подыграю. Надо думать, телепат и так уже в курсе.

Пусть у меня не хватит физических сил отомстить этому чудовищу, я хотя бы поведаю желтоглазым правду в мыслях. Хотелось бы верить.

Я кивнула, поддакивая издевательской шуточке Джейн, и села, надеясь привлечь внимание неизвестного телепата. А вслух продолжила излагать версию, которую выдал бы кто угодно другой из нашего клана. Представила, что я Кевин. Тупой, как мешок щебня, и ни о чем не догадывающийся.

— Я не знаю, что произошло. — Чистая правда. Для меня осталось загадкой, что там творилось на поле битвы. И никого из команды Кристи я не заметила. Может, их настигли те непонятные воющие вампиры? Эту тайну желтоглазых я не выдам. — Мы разделились на две группы, но вторая так и не пришла. И Райли тоже исчез: обещал помочь и не помог. А потом все перепуталось, и всех разорвали на части. — Я вздрогнула, вспомнив, как перепрыгивала через обезглавленный труп. — Я испугалась. Хотела убежать. Тогда он, — я кивнула на Карлайла, — сказал, что меня не тронут, если я перестану сопротивляться.

Я не подставляла Карлайла. Сказала только то, что он и сам доложил Джейн.

— Увы, это не ему решать, детка, — возразила Джейн. Она явно упивалась происходящим. — Нарушители должны быть наказаны.

Не выходя из роли Кевина, я вытаращилась на нее, словно не понимая, о чем речь.

Джейн посмотрела на Карлайла.

— Ты уверен, что вы добили всех? А где вторая группа?

Карлайл кивнул.

— Мы тоже разделились.

Значит, Кристи и впрямь догнали воющие. Я от всей души понадеялась, что при всех прочих достоинствах, эти воющие оказались невероятно свирепыми и злобными. Кристи заслужила.

— Должна признаться, вы меня поразили, — проговорила Джейн с неподдельным изумлением. Еще бы, решила я, поразмыслив. Джейн рассчитывала, что армия Виктории наведет тут шороху, а мы не оправдали ее надежд.

— Да, — пробурчали трое в плащах, стоявшие за спиной Джейн.

— Никогда не видела, чтобы такую атаку отбили без единой потери. Вы знаете, чем было вызвано нападение? В ваших местах подобная агрессивность весьма необычна. И при чем здесь девчонка? — Джейн стрельнула глазами на наш «десерт».

— Виктория хотела отомстить Белле, — ответил бронзоволосый.

Наконец-то непонятная стратегия Райли разъяснилась. Ему просто нужно было прикончить любимицу желтоглазых, и без разницы, сколько наших при этом погибнет.

Джейн залилась счастливым смехом.

— Похоже, эта девчонка, — она улыбнулась «десерту» так же, как только что улыбалась мне, — толкает нам подобных на безумные поступки.

Та не шевельнулась. Может, Джейн ее и не тронула. Или ее жуткий дар действует только на вампиров.

— Ты не могла бы этого не делать? — сдерживая кипящую в голосе ярость, попросил бронзоволосый.

Джейн снова рассмеялась.

— Просто проверила. Судя по всему, никакого вреда ей это не причинило.

Я попыталась сохранить кевинское выражение лица, чтобы не выдать своего любопытства. Значит, у Джейн не получается мучить эту девчонку, как меня, и для Джейн это непривычно. Она могла смеяться сколько угодно, только я все равно видела, как это бесит карательницу. Может, поэтому желтоглазые и взяли девчонку к себе, за необычность? Но если так, почему нельзя превратить ее в вампира?

— Ну что же, нам тут делать нечего, — произнесла Джейн прежним скучающе-мертвенным голосом. — Странно. Непривычно оказаться ненужными. Жаль, что мы пропустили схватку. Похоже, здесь было на что посмотреть.

— Да, — усмехнулся бронзоволосый. — А ведь вы были так близко. На полчасика бы раньше. Возможно, тогда вы бы имели возможность выполнить свою миссию.

Я подавила улыбку. Значит, телепат у них этот бронзоволосый, и он услышал все, что я хотела ему передать. Джейн свое получит.

Она с непроницаемым лицом уставилась на телепата.

— Да. Жаль, что все так получилось, верно?

Тот кивнул. Интересно, что он там прочел в ее мыслях?

Джейн, не меняя выражения лица, повернулась ко мне. Глаза ее были пусты, но я поняла, что мое время истекло. Я ей больше не нужна. Она не знала, что я постаралась и телепату сослужить хорошую службу. И не выдать тайны их клана. Я перед ним в долгу. Он разделался за меня с Райли и Викторией.

Покосившись на него краем глаза, я мысленно поблагодарила.

— Феликс! — лениво протянула Джейн.

— Погоди! — воскликнул телепат. И заговорил торопливо, повернувшись к Карлайлу: — Мы могли бы объяснить ей правила. Кажется, она согласна учиться. Ведь она же понятия не имела, что делает.

— Разумеется, — подхватил Карлайл, глядя на Джейн. — Мы готовы взять ответственность за Бри на себя.

Джейн, судя по ее виду, не могла понять, шутят они или всерьез, — но если шутят, то такой веселухи она даже от них не ожидала.

А я была тронута до глубины души. Эти вампиры, которые мне совершенно никто, не побоялись ради меня пойти на такой риск. Я понимала, что ничего не выйдет, но все-таки...

— Мы не делаем исключений, — удивленно-весело ответила Джейн. — И не даем второго шанса. Это вредит нашей репутации.

Я слушала будто про кого-то другого. Мне было все равно, что она говорит о моей смерти. Я понимала, что желтоглазые ее не остановят. Она вампирская полиция. Но пусть вампирские копы насквозь продажные, главное, что теперь желтоглазые в курсе.

— И кстати... — продолжала Джейн, впившись взглядом в девчонку и улыбаясь еще шире. — Кай несомненно заинтересуется тем, что ты до сих пор человек, Белла. Возможно, он решит заехать в гости.

До сих пор человек. Значит, они все-таки намерены ее обратить. Тогда чего раздумывают?

— Дата уже установлена, — вмешалась маленькая коротко стриженная брюнетка со звонким голосом. — Возможно, мы сами заедем к вам в гости через несколько месяцев.

Улыбка Джейн пропала, будто ее стерли. Она пожала плечами, не глядя на брюнетку, и мне показалось, что при всей ненависти к человеческой девчонке, миниатюрную брюнетку она ненавидит раз в десять сильнее.

Джейн посмотрела на Карлайла с прежним безучастным выражением.

— Рада была видеть тебя, Карлайл. А я-то думала, что Аро преувеличивает. Ну что же, до встречи...

Значит, на этом все. Страха не было. Я только жалела, что не смогу рассказать обо всем Фреду. Ему ведь придется тыкаться как слепому в этом мире, полном опасных интриг, продажных копов и тайных кланов. Но Фред умный, осторожный и одаренный. Что они ему сделают? Они его даже не заметят. Может, когда-нибудь он набредет на желтоглазых. «Не обижайте его», — мысленно обратилась я к телепату.

— Феликс, займись! — равнодушно кивнула на меня Джейн. — Я хочу домой.

— Не смотри, — прошептал бронзоволосый телепат.

Я закрыла глаза.

Слова благодарности

Как всегда, я безмерно признательна всем, благодаря кому получилась эта книга: моим мальчикам, Гейбу, Сету и Эли; моему мужу Панчо; моим родителям Стивену и Кэнди; моим подругам-помощницам Джен Х., Джен Л., Меган, Ник и Шелли; моей агенту-ниндзя Джоди Ример; моей «Баффи» Шэннон Хейл; всем моим друзьям и наставникам из «Литтл, Браун и Ко», особенно Дэвиду Янгу, Асе Мучник, Меган Тингли, Элизабет Юлберг, Гейл Дубинин, Эндрю Смиту и Тине Макинтайр; и наконец — моим читателям.

Вы лучшая публика, о которой можно только мечтать.

Спасибо!

ИЗДАТЕЛЬСКАЯ ГРУППА АСТ